笑いで歴史学を変える方法

歴史初心者からアカデミアまで

池田さなえ

星海社

306
SEIKAISHA
SHINSHO

はじめに

この世界には、どうも怒っている人が多いようだ。店の店員に怒り、同僚に怒り、道行く人に怒り、SNS上の見ず知らずの人にも怒り、果ては動物やモノにも怒る。他者に怒りを向けられない心優しい人は、自分の中に怒りを向ける。「怒りエネルギー」はうまく振り向ければ人を成長させてくれるが、多くの場合他者とのいざこざを招いたり、自分自身を傷つけたりする恐ろしい力でもある。

この本のテーマである「歴史学」も、「怒りエネルギー」を動力源として発展してきた学問であった。

こんなことを言うと、「いや、何を言っているんだ。歴史は面白いものだ。怒りなどとは無縁だ」というような声も聞こえる。

しかし、そのような怒りは次のいくつかの点を見落とすという大きな勘違いをしている。

●「歴史」と「歴史学」は違う
●「面白い」と怒りは相反するものではない

何を言っているのか全くわからない、という人にこそ、この本をオススメしたい。この本は、次のような人にこそ手に取って読んでいただきたいとの思いを持って書かれたものである。

A　「歴史」は好きだが、大学の歴史学者には常々不満がある
B　大学・大学院で歴史学を学んでいるが、違和感がある

このような方々には、「怒りエネルギー」に突き動かされて、次から次へとページをめくっていただけるだろう。

一方で、次のタイプの人たちにとってはこの本は表紙からして食指が動かないかもしれない。

C　大学で歴史学を研究している。世間一般の「歴史好き」と私は違う！

この本が目指したことは、むしろこうしたタイプの人たちが読んでこそ実現への扉が開かれるのだと筆者は考えている。

最初に申し上げておくと、この本には信長も卑弥呼（ひみこ）も、龍馬（りょうま）も新撰組（しんせんぐみ）も出てこない。明日すぐに使える歴史うんちくも、ない。『笑いで歴史学を変える方法』というタイトルから、このような辺りを想像してページをめくってくれた方々にはたいへん申し訳ないが、「そっ閉じ」してその周囲にある本を手に取っていただいた方がよほど有意義である。

この本は、大学で歴史学を研究する筆者が、大学の中から大学と、学界と、世間を見る中で感じた問題を提示し、大学の中からその問題を少しずつ変えていこうとする「実践の書」である。「怒りエネルギー」を「笑いエネルギー」に変換してみたら、「歴史」と「歴史学」をめぐる様々な問題がどうなるかな？　という知的好奇心だけで、「やってみた」くなって、やった。筆者のキャリアにとって黒歴史になるかもしれないが、後悔はしていない。

知的好奇心は、あらゆる学問の源泉である。この本は、学問を前進させる根源にある知的好奇心から、これまで誰も触れようとしてこなかったところに触れてみたり、動かしてみたり、そうしたことをついつい「やってみた」くなってしまう歴史学者の手になるものである。

「笑える」歴史学雑誌の実践と困難

筆者は大学で日本史学を専攻し、大学院に進んでから十数年間、日本史学の研究に携わってきた。その間、京都の某国立大学、地方の某中小私立大学を経て、現在京都の某公立大学に勤めている。前任校の元教え子の軍オタから提供していただいた例だが、単純な規模でたとえると戦艦で訓練を積んだあと駆逐艦乗りになり、二年の航行ののち重巡洋艦を乗り回すようになったような具合である。筆者の同僚の大半は戦艦や空母からこの重巡に乗り換えた人びとであり、短いキャリアの中であらゆる艦種を乗り回し、あらゆる艦文化を甲板から船底まで知った人間はそう多くはないと感ずる。筆者は明らかに浮いていた(艦だけに)。

しかし少し外に目を転じれば、筆者と同じかそれ以上に多くの艦に乗ってきた人たちがいた。そうした人たちとは会えばお互いの戦歴を労り合うのが常であるが、短いキャリアの中で筆者が感じたような問題には、共感はされても、それをどうにかしようという方向には話が進まない。皆、日々を生きるのに精いっぱいなのだ。

かくいう筆者も、日々を生きるのに精いっぱいであった。今もその状況はあまり変わっていない。いっぱいいっぱいになっているときは、自然の摂理では「怒りエネルギー」が発生しやすい状態になっている。成果が出せない自分への怒り、評価がされにくいことへの怒り、所属大学による差別待遇への怒り。しかし筆者は、こうした「怒りエネルギー」の充満を感じながら、人を笑わせることばかり考えていた。怒りながら、笑いを追究していた。こんなことは、ふつう誰にも相手にされない。気づけば、筆者はやはり多艦種渡り歩き勢の中でも浮いていた。

しかし、幸いなことに、筆者にはわずかながら仲間がいた。この仲間たちとともに、学術雑誌『Historia Iocularis』(以下、「いお倉」)の旗を揚げた。この雑誌は、「一瞬笑えて、後からジワジワ考えさせられる」歴史学の論文しか掲載しないという明確なコンセプトを掲げ、二〇二三年六月に創刊準備室を発足させた。

当初は発起人の持つネットワークを使った口コミ、学会の全国大会での宣伝や学会誌への広告掲載など、主に大学や研究機関等で「歴史学」を研究している人びと(以下、「アカデミズム史学」の人びととする)を対象に周知していた。しかし歴史系の学会はひじょうに多く、また研究者の中には学会にほとんど出なくなっている人たちもいる。さらに、アマチュア・ファンとして独自に優れた研究をされる方の存在も認知していたので、そうした人びとにまで届けるにはこの方法では限界があるとも感じていた。そんな折、とある経緯で朝日新聞社の敏腕記者の目に留まり、取材を受けることとなった。この取材は渡りに船、いや艦であった。

しかし、実際にこの取材が記事になり、アカデミズム史学の外にもいお倉のことが広く知れ渡ると、当初想定していなかったような反応が次々と押し寄せて来た。

投稿の大半はアマチュアの歴史家・歴史ファンで、「誰でも投稿できると聞いて来ました」というものであった。お気持ちは嬉しかったのだが、いお倉が掲げた理念が十分伝わらないまま、「誰でも投稿できる」という点だけがひとり歩きしているように感じられた。

皆の求めているものと、筆者らの作ったものとはだいぶ違う。皆の求めているもの——知識や学歴に限らず歴史好きが集まってワイワイ楽しくやれる場——はこの世に絶対に必要だと思う。しかし、そういうものは既にたくさんある。筆者らは、まだこの世にないものを見たいからこそいお倉を作った。そういうことが、どうすれば伝わるのか。「歴史好き」を否定したいわけではないのに、ややもするとそう受け取られてしまいかねない危険性もひしひしと感じた。毎日毎日、この問題が頭の中を占拠するようになった。

とはいえ、大学や研究機関に身を置かない方々のお一人お一人にそのことを説明することもできず、さりとて単に「不採用」という通知をお送りするだけというのも心苦しく、しばらくは中途半端にお一人お一人に長めのメールで不採用の理由をお伝えしていた。しかし、実質的に筆者の個人商店であるいお倉ゆえに、この対応に明け暮れ筆者の本業はどんどんおろそかになっていった。また、神経質で繊細(せんさい)な筆者は、期待を込めて投稿されたであろう方々に不採用の通知をしなければならないことの心苦しさに胸がつぶれそうになる毎日に堪えられなくなった。その結果、当初門戸(もんこ)を全開にしていたいお倉は、断腸(だんちょう)の思いで投稿資格の制限をかけざるをえない事態となった。以下、これを「いお倉某重大事件」と呼ぶ。

この間の経緯で痛切に感じられたのが、アマチュア歴史家や「歴史好き」の人びととアカデミズム史学との深刻なコミュニケーション・ギャップであった。「笑い」とは何か、「面白い」とは何か、「歴史学」とは何か、「学術誌」とは何か、そうした根本的なところで、大きなズレがあるように感じられた。そもそものこの問題をどうにかしない限り、第二、第三の「いお倉某重大事件」を生むことになりかねない。

このような問題意識から、この本は生まれた。したがって、この本はいお倉の挫折の産物であり、「学術コミュニケーションの書」でもあるのだ。

「学術コミュニケーション」

「学術コミュニケーション」とは聞きなれない言葉かもしれない。大学や研究機関で行われている研究は、そのままでは多くの人々にとって何をやっているのかわからない。その難しい研究成果を、多くの人にわかりやすい言葉で伝える仕事が「学術コミュニケーション」である。海洋生物学に対するさかなクンさんのような存在と考えてもらえればわかりやすいだろう。博物館や科学館の人たちも、広い意味では「学術コミュニケーター」である。

ところがここで、ややこしい問題に直面する。歴史学においては、さかなクンさんのような存在が多すぎるのである。歴史好きを公言するタレント、歴史上の人物をモチーフにしたアイドル、歴史を扱うユーチューバーやSNSのインフルエンサーなど、「歴史」を多くの人びとに伝えることをなりわいとしている人はあまたいる。それだけ、歴史学が人気であるということでもあり、ハードルの低い学問だと思われていることの表れでもあるだろう。

このことだけを見れば、「歴史学においては学術コミュニケーションは十分行われている」と感じられるだろう。しかし、筆者の見るところ、アカデミズム史学とアマチュア歴史家とのコミュニケーション・ギャップは埋まっていないどころか、ますます広がっている。その結果が、先に述べた「いお倉某重大事件」である。

どうも、「学術コミュニケーション」の仕方が間違っていたのではないか？　いや、あれらは「学術コミュニケーション」のように見えて「学術コミュニケーション」ではなかったのではないか？　そのようにあれこれ考えた軌跡が、この本に活かされている。「歴史に学術コミュニケーション・ギャップなどあるのか？」と不思議に思った方々にこそ、この本は響いてくれることと確信している。

この本の構成

したがって、この本は、まずは世間の多くの人びとがイメージする「歴史」とアカデミズム史学の側にいる人びとが考える「歴史学」の違いから説き起こすこととなるだろう。遠回りなように感じられるかもしれないが、これをやっておかなければ、「笑いで歴史学を変える方法」の話ができない。アカデミズム史学とアマチュア歴史家のそれぞれが持つ「笑い」がすれ違ったままなのが問題なのである。

次に、アマチュア歴史家の多くが感じているであろう、アカデミズム史学に対するいくつかの疑問を導きの糸として、アカデミズム史学とはどのような世界なのかを確認していく。これは、アカデミズム史学の中にいる人びとには自明のことかもしれないが、アマチュア歴史家という鏡を通して見る自画像によって、却って自身の立ち位置を新たに知ることにもなるだろう。また、歴史好きの方々の中にも「そんなことはとうに知っている」と思われる方々もいらっしゃるだろうが、アマチュアの世界にも実に多様な人びとがいるのだということを改めて確認していただく機会として活用していただきたいと思ったのである。ここまでが第一部である。

第一部が基礎知識編とするならば、第二部はそれを踏まえた実践編である。アマチュア歴史家をタイプ別に分解し、それぞれチャート化してオススメ度、難易度を分析し、大学の外で研究を続けていきたい方のための簡単なガイドとなるよう工夫した。

最後に、ようやく「笑いで歴史学を変える方法」の話になる。ここまで読んで来られた方々とは、話の前提となる世界認識がほぼ共有されているはずだから、それを前提に思う存分「笑い」の話をさせていただきたい。冒頭で触れた、歴史学は「『怒りエネルギー』を動力源として発展してきた」という話の意味は、ここで初めて解くことになるだろう。そして、その中で「笑い」を追究することの意味を、筆者の個人的な経験も交えて伝えていきたい。

アカデミズム史学に属する読者の皆様は、第一部、第二部は自明のことだからとして第三部から先に読み始めていただいても構わない。また、目次を見て興味のあるところから読んでいただく形でもよいだろう。しかし、第一部、第二部はアカデミズム史学に属する皆様にもぜひ知っていただきたいことを随所に盛り込んだので、一度は目を通していただければありがたい。

こうして、「笑い」と「歴史学」をめぐる航海を終えた暁には、「怒りエネルギー」でいっぱいであった皆様の心が、朗らかな笑いでいっぱいになっていてくれることを願ってやまない。

目次

第二章　大学の歴史学者はなぜ融通が利かないのか　40

第二章 「発見」重視型 120

第三章 SNS・イベント活用型 141

第三章 「笑い」を真剣に考えてきた学者たち 197

第一部

アカデミズム史学とアマチュア歴史家

自分たち平生科学の研究に従事しているものが全然専門の知識に不案内な素人から色々の問題について質問を受けて答弁を求められる場合に、どうかすると時々丁度このヤルカンドの歯医者の体験したのとよく似た困難を体験することがある。……具体的な目的の詳細にわからない注文にぴったりはまるような品物を向けることは不可能である。

寺田寅彦

第一章　「歴史」と「歴史学」

大学で歴史学を学んだ経験のない多くの方にとって、「歴史」とは二様のイメージで理解されていることと思う。一つは、小中高校までの学校で習った、暗記ばかりの退屈なお勉強であろう。「歴史」をこのように理解している人の多くは、その後一生涯歴史に興味を持つことはないだろう。

しかし、その中から一部、社会人となって人生経験を積む中で、世の中の酸いも甘いも吸い尽くし、人間のあらゆる側面を見聞した結果、歴史上の出来事や人物に突然目覚めたように興味を持つ人びとがいる。あるいは、学齢期でも、授業は面白くないが、YouTubeや漫画、ゲームなどの中で歴史が扱われているのを見て歴史を面白いと感じ、さりとて大学で学ぶほどではないよなーと思っている人たちも一定数いる。

このような人びとが抱く「歴史」のイメージが、もう一つのイメージである。すなわち、ドラマや漫画、ゲームなどの娯楽作品の中で扱われている、「物語」「人間ドラマ」としての「歴史」である。

歴史上の人物は、皆揃ってキャラが濃い。戦国時代や幕末のような激動の時代であればあるほどに濃い。どんな漫画家や脚本家が智恵を絞ってもここまで面白くはできないというような絶妙の舞台装置が揃っている。したがって、この舞台装置とキャラを借用すれば、どんな人でもある程度面白い話を作ることができる。歴史物語は、前者のいわゆる「歴史嫌い」の中の、アレルギー級に重度のタイプを除けば、たいていの人を面白がらせることができるのである。

一方、「歴史学」とは、そのような歴史物語とは全く別物である。簡単に言えば、「歴史学」とは大学で研究され、学会や学術誌上で発表され、議論が戦わされる「学問」である。生物学や物理学、医学などと同じ「学問」である。

学問であるからには、物語としての面白さや文学的文章としての巧拙は二の次である。自然科学と同様に、論理性や方法の妥当性、着眼点の独創性などが評価される。学生の卒論を指導していて、こういう不満の声をいただいたことがある。

「僕は／私は、趣味で小説を書いています。これまで何本も書いてきました。人より文章が巧い自信はあります。僕の／私の論文のどこがだめなんですか」

いお倉を始めてからは、投稿者からも同様の訴えを受けた。

これは単純に、「歴史」と「歴史学」を混同しているところからくる誤解なのだが、そもそもが歴史学という学問自体が全く異なる二つの顔を持っていることからくる避けられない誤解でもある。

「歴史学」の二つの顔

歴史学とは、そもそも「文学」的要素も持つ「科学」なのである。

歴史学は、学問の大きな括りでいうと、「人文科学」というジャンルに入れられることが多い。学問としては洋の東西を問わず、人間の文明社会が生まれたときから、すなわち古代から連綿と続く、非常に長い歴史を持つジャンルである。人文科学とは、伝統的な学問の区分でいうと、哲学・文学と同じグループになる。ややこしい話になるが、この「文学」というのは、小説などの文学的文章そのもののことではなく、そのような文学的文章を研究対象とする学問という意味である。ところが日本語では、文学的文章のこと自体も「文学」と呼ぶものだから話がこんがらがる。ちなみにこの文学的文章としての「文学」には、テレビドラマや映画、漫画などの物語作品も広い意味では含まれる。最近では、歌手のボブ・ディラン氏がノーベル文学賞を受賞したことなどからもわかるように、歌詞などの音楽芸術もこの意味での文学と見なされるのである。

話が大きく脱線してしまった。歴史学も含めた人文科学であるが、大学の学部でいうと、伝統的には「文学部」と呼ばれるような学部で修得できるものである。最近では謎の横文字学部ネームが流行っているのでその限りではないが、「総合フロンティア学部」であろうが「フューチャーイノベーション学部」であろうが、そこで文学や歴史学が学べるならば広義の括りで「文学部」と見なして話を進める。

一方、歴史学は法学や経済学などの「社会科学」のグループに属するという見方もある。実際、法学部で政治の歴史を研究する「政治史」、経済学部で経済の歴史を研究する「経済史」というジャンルがあり、それらはいわゆる文学部系の歴史とも非常に似ており、専門家でもはっきりとその違いを説明することは難しい。しかし、人文科学であろうと社会科学であろうと、「科学」には違いないのである。

科学とは、学問である。そして、学問をその他の活動と明確に分ける最大の特徴は、「疑う」ことである。あらゆる特徴を削ぎ落として、最後に残る学問の学問たる特徴は、「疑う」ことである。学問は、「疑う」ことによって発展してきたのである。学会で発表すれば叩かれ、論文を出せば別の論文で叩かれ、本を出せば書評で叩かれる。筆者などもどれだけ叩かれたかわからない。しかし、この叩かれるという過程を経て、研究はより精緻（せいち）に、より正確になっていき、歴史学の知は積み上げられていくのである。

そしてひじょうに重要なことに、この批判それ自体も、他の多くの研究者からの批判の目にさらされているのである。したがって、批判者もそれなりの覚悟を持って批判をする。あまりに無茶苦茶な批判をすれば、その研究者自身が学問の世界で「あいつは大したことないな」「馬鹿なこと言ってやがる」と見なされることになるリスクを負うからである。アカデミズム史学の中の人が、「歴史学者でない人が書いたエッセイやノンフィクションではなく、学会誌に載（の）った論文や学術書を読みなさい」と言うのは、この批判し批判される過程を経ていることによって、その研究の質が担保（たんぽ）されるということを知っているからである。

これに対し、物語としての「歴史」は、「疑う」ことが必ずしも必須ではない。もちろん、「この物語の運びはよくない」とか、「こうした方が面白い」という批判や指摘はあるだろう。Amazonのカスタマーレビューなどで読者が「これは面白くなかった」「このオチはないと思う」などと批判することもある。しかし、それは書かれている一つ一つの事実や叙述を「疑う」こととは本質的に違う。
まず、AmazonのカスタマーレビューやSNS上での批判は、多くは匿名でなされるという点が最大の違いである。匿名である以上、いきおい無責任な批判になりがちである。批判の質も担保されていないのである。そして、作者はその批判の全てを真面目に受け取る義務もない。更に、一番大事な点なのだが、こうした批判は、物語としての面白さに対してなされる批判であって、事実認識や解釈の誤りを指摘するものではないということである。

いや、そうは言っても、ドラマや映画に対して「これは史実に反している」とかいう批判もあるじゃないか、文学でも「疑う」ことはあるじゃないか、とのご指摘、ようこそおいでくださいましたという気持ちで足が勇んでしまう。大河ドラマ視聴後ポストとかにありがちなアレだが、アレは文学に対して学問の風体でもって喧嘩をしかけているだけであって、文学が本来受けるべき批判ではない。文学の側からしても「知らんがな」案件なのである。もちろん、史実の方が面白いから史実に沿うべき、という批判はあってしかるべきだが、その際も評価基準は「物語が面白いかどうか」なのであって、「描かれていることが正しいかどうか」ではないのである。

ちなみに、更に誤解を招きそうなので補足をしておくと、ここで言う「正しい」「正しくない」とは善悪のことではない。描かれていることが歴史的に明らかにされてきた知見に照らしてみて正確であるかどうかということである。

さらに、先ほど「学問の風体で」と表現したように、このような批判はそもそも「学問的」とすら言えない。学問は、そもそも学問どうしで戦わされるものであって、文学や芸術に対して異種格闘技をしかけることは求められていない。学問の世界のルールにしたがって発表された論文や学術書の形式で議論を戦わせるのが、学問的に「正しい」作法である。

さて、これに対しもう一方で、「歴史学」はその扱う対象や論述の手法からして、「文学」的にならざるをえないという側面もある。「歴史学」は、すべてひとしく過去の出来事を対象として研究される。そして、そのための手法としては、史料を何らかの問題・論点に沿って配列し、その問題・論点に対する結論を示すという流れをとる。しかし、その際多くの場合、史料を時系列に沿って配列するという手法がとられる。あるいは、時系列を逆転する形で、結果から原因を探るというスタイルをとることもある。しかし、いずれにせよ、論証の中で何か一つの出来事について、起(お)こりから結末までを「叙述する」というスタイルを全く使わずに論じられることはほとんどない。

過去の出来事を「叙述する」というこのスタイルに、「文学」が入り込む余地が生まれる。われわれが、家族や友人に、最近起こった出来事について話すことを思い起こしてみてほしい。われわれはその起こった出来事を、自身の関心や考えに沿って「配列」して「叙述する」。そこには既に、どんなにくだらない話であっても、物語が発生している。過去を語るということは、どのようなレベルであっても「文学」性から逃れることはできないのである。

大学の歴史学者が書いた本で、時に「科学」として優れているだけでなく「物語」としても面白いものがあるのはこのためである。これは、その学者が「歴史学」を物語として描く能力に優れているか、その学者の扱う研究対象が物語性を帯びているかのどちらかなのである。アカデミズム史学の中の人たちは、自らが「学術コミュニケーション」を担わなければならない場面もある。講演会や、メディア出演、そして一般向けの本の執筆などである。そうした場面では、学者向けではなく、一般読者向けを意識した書き方をする。その際に、文学としての面白さがあれば、より多くの読者に楽しんでいただけるだろう、と考えるサービス精神旺盛な学者もいて、そうした学者の書く本は科学＝学問でありながら、確かに文学としても面白く読める。

「歴史」の面白さと、「歴史学」の面白さ

アカデミズム史学の側の人間が求める「面白さ」とアマチュア歴史家が考える「面白さ」が往々にしてずれ、コミュニケーション・ギャップを生んでしまうことは、このような二つの要素を併せ持つ「歴史学」の宿命なのである。そもそも、話している本人が「科学」として話しているのか、「文学」として話しているのかを明確にしないことがほとんどなので嚙み合わなくなる。

そして、厄介なことに科学としての「歴史学」に面白さを感じる人と、文学としての「歴史」に面白さを感じる人は、多くの場合重ならない。学問としての「歴史学」がやりたくて大学に入った人は歴女や歴オタを侮蔑しがちであり、歴女や歴オタから大学に入って歴史学を学び始めた人たちは、「歴史学」のそういう雰囲気に嫌気がさし、失望し、離れていく。あるいは、歴オタである自分を殺し、学問の側に完全に馴致してしまい、オタであった頃のことなどなかったかのように逆にオタたちを迫害する側に回るかのどちらかであろう。オタから入って苛烈な差別と迫害に耐えながらオタ性を失うことなくアカデミズム史

学の中に残り続けている奇天烈人間は、筆者くらいのものなのである。そうでなければ筆者がどこにいっても浮いてしまうわけがない。

文学としての立場から「面白い」というときと、科学=学問としての立場から「面白い」というときの違いをよりわかりやすい対比で説明したい。前者の場合、たとえば本能寺の変という大・歴史スペクタクルや、それを招いてしまった人間ドラマの妙などが「面白い」と言われる。テレビドラマなどでも好んで取り上げられるテーマである。あんなに信頼関係にあった人と人が、こんな具合ですれ違っていって、最後にはこんな悲劇的な結末に……という筋立てや、派手な殺陣や戦闘シーンの技巧に、人は「面白さ」を感じる。

一方で、後者の場合、たとえば戦後のおもちゃ屋店舗数を追いかけていくと日本の復興が跡付けられるのでは？　というような発想であったり、そのおもちゃ屋店舗数を明確に跡付ける統計データがない場合、電話帳を使ってしらみつぶしに調べる方法を編み出してみた！　というような話であったりを指して言われることが多い。つまり、古代の頭のいいおじさんが、影の動きから太陽の動きを測ったように、あるいは、中世の頭のいいおじさんが、水平線から上る船の動きから地球が球体であることを知ったように、「ソレから、アレを見える化したのかー！」という驚きにも似た感動を「面白い」と表現する。ここには、かっこいい筋立ても、心を揺さぶるメロドラマも、個性的なキャラクターも、究極のところ必要ない。

ただ、何度も繰り返すようだが、ものによっては後者の知見を文学的に「面白く」書くこともできてしまうのがこの話の厄介なところなのである。戦後のおもちゃ屋の話を例にとると、戦後の混乱から説き起こし、荒廃する人心、特に子どもの貧困、などを史料から明らかにしたうえで、電話帳分析とマクロの経済動向を関連させて、子どもの貧困の解消を間接的に読み取ったときに、描き方によってはなぜだか心が動かされてしまう場合もあるのである。ある種のドキュメンタリー、ノンフィクション文学の効果である。筆者などは、四国のある地方小都市の自民党系市議会議員に対するオーラル・ヒストリーから、地方都市の戦後の歩みを読み取る現代史研究に心が揺さぶられ、涙してしまったことがある【倉敷 二〇二二】。

しかし、涙するか笑うか怒るかはあくまで読み手の勝手であり、本来学問としての「歴史学」に求められている効果ではないことは、何度でも強調しておかなければならない。ただ、心を揺さぶられる論文は、えてして学問としても良質であるということは、なぜだか言いうるように思われる。[*1]

学問としての「面白さ」と「笑い」

ここまでの話をしてきて、「ちゃんと伝わってる……?」と不安になる筆者である。既にうすうすお感じであろうが、学者というのははっきりとした物言いのできない生き物である。「こうである、と思われる」「こうである、と考えられている」「大半の場合、こうである。しかし例外もあって、モニョモニョ……」といった具合で、一%でもはっきりしない箇所があろうものなら断言はしないし、一%でも先ほど言ったことと違う事例があろうものなら後から補足的に付け加えてしまう。そして、その結果話は混乱し、「なんだったっけ?」「何を言ってたんだっけ?」と元のところに戻らなければならないことがよくあるだろう。しかしそれこそが、学問的誠実さなのだとわかってほしい。学問とは、そういうものなのだ。逆に、断定口調をしてくれる人や難しいことをわかりやすい言葉で簡単に説明

*1 この辺の話は、最近ヨーロッパの歴史学界で一つの潮流となっているようなので、興味のある人は巻末の参考文献にあるイヴァン・ジャブロンカの本をどれか一冊でもよいので読んでみてほしい。

してくれる人には、安心は感じるかもしれないが詐欺師の可能性が高いから警戒した方がよい。

さて、ここまで文学としての「歴史」と学問としての「歴史学」の違いについて見てきた。もうめんどくさいのでこれ以降は「歴史」と「歴史学」と書くことにするのでついてきてほしい。「歴史学」についてはもう括弧も外そうと思う。時折強調のために括弧を戻すこともあるかもしれないが、基本的には括弧なしで用いることとする。

ここからは、更にややこしい話になる。今まで何の説明もせずに、しれっと「面白い」「面白さ」という言葉を使ってきた。表紙からこの本を手に取ってくださった方は、この「面白」がすなわち「笑い」なのねと思っておられることだろう。

違うのである。

実は、「面白い」と「笑い」の間にもまた一筋縄ではいかない問題が横たわっているのである。

これもまた、いお倉への投稿者とのやり取りから得た気づきである。いお倉には、アマチュア歴史家だけではなく、アカデミズム史学の方からも投稿をいただいている。驚くことに、大学を退職された名誉教授やベテランの教授陣からも問い合わせや投稿をいただくようになった。その中で、これを執筆している二〇二四年二月時点で採用が決定した論文は、ゼロである。ということは、おわかりいただけただろうか。いお倉編集委員が各界の大家の原稿を落とし続けているというおそるべき事態が発生してしまっているのである。

もちろん、いお倉は本来そんな命知らずなことはしたくない。というか、アマチュアの方にも本当は不採用なんて伝えたくないのである。筆者は平和主義者の軍オタであり、人の嫌がることは極力したくない主義なのである。しかし、いお倉の趣旨と投稿された論文にズレがあると判断された以上、不採用にせざるをえなかった。

これには、アカデミズム史学の世界でいうところの「面白い」と、いお倉が求める「笑い」との間に、更に大きな断層があるということを意味している。

いお倉が「『笑える』歴史学論文受け付けてます！」と表明したとき、研究者の多くはこう理解した。知的好奇心をそそる逸話（いつわ）や逆説的ユーモアなどの、内容の「面白さ」を求めているのだな、ということである。たとえば、「平安貴族の日記に書かれている他人の悪口が赤裸々（せきらら）すぎて面白い」とか、「幕末の米海軍側と幕府担当者の交渉（こうしょう）が噛み合っているようで噛み合ってなくて面白い」とかいったような類の話である。いや、これでもまだやりようによっては許容範囲内だが、実際にはもっと硬くて真面目な内容の原稿を送ってこられる先生方が多くて弱った。あまつさえ、どこがどう笑えるのか解説付きで投稿された方がいたのには閉口した。先に挙げた二つの例は個人を特定したくないので別の例をひねり出したものだが、筆者のようなナチュラルボーンいお倉脳にはこれが限界であった。

これはまた、前節で説明した歴史学の「面白さ」とも違うことにお気づきだろうか。前節で見てきた歴史学の「面白さ」は、学問として「巧い！」「よくできている！」「あっぱれ！」という驚きに似た感動であった。ここで言う、多くの研究者が観念した「面白さ」は、史料の中から現れた、内容の「面白さ」であり、やや文学の側に寄っている。大学の研究者でさえ、「笑える歴史学」と言うとき、文学の面白さを観念してしまうのである。歴史学の持つ二つの顔が、いかに人を惑わせるかがおわかりいただけるだろう。

そこに、「どうです、面白いでしょう！」というドヤ顔が透けて見えると、なんとも言えない気持ちになる。「笑い」を求めている手前、「笑えるものを送ってください」ということになるのだから、ウケを狙ったものが来ることには何の不思議もないのだが、あまりに露骨にそれをやられると恥ずかしくなってしまうことに気づいてしまった。こんな複雑な気持ちを味わったのは初めてであった。

きっと、複雑な気持ちになるということは、それがいお倉の求めている「笑い」とは違うのである。なぜなら、こんな複雑な気持ちにならない「笑い」に、われわれは既に出合っていたからである。その話は第三部でも簡単に紹介することになるだろう。しかし、やはり実際に「こういうものだ！」と示さなければ十分に伝わらない。もちろん、そのエッセンスが伝わるようにＷＥＢサイトには既存のいお倉的論文の例を挙げているのだが、おそらく原典にまで当たってしっかり検討される方は少ないのだろう。筆者は当初、自分が作った雑誌に自分で論文を書くのはお手盛りな感じがしてひじょうに嫌だったのだが、いお倉の言うところの「笑い」を示すためにもやらなければならないか、という諦めに似た気持ちになりつつある。

思うに、研究というものは、そもそも研究者自身がそこに知的好奇心を持って取り組むものである以上、極論すればあまねく全ての研究は「面白い」ことになる。ウケなんか狙わなくても、十分に面白いのである。

いお倉が求めた「笑い」は、そういう研究の内容にまつわる「面白さ」ではなかった。いお倉の求めた「笑い」は、たとえて言えば、虫の生態や理科室での実験に夢中になる少年や鉄道や兵器に夢中になるオタクたちを傍から見たときの「笑い」であった。そこには「狂気」がある。純粋にその物事を知りたいという欲求のみに突き動かされて、一見無意味に思えるような、一文の得にもならないことに執念深く取り組んでいる、その姿勢の「狂気」である。

　このような研究は、本人は全く無意識でも傍から見て「笑える」ときがある。先に挙げたおもちゃ屋の例でいくならば、おもちゃ屋数の推移を知るために、戦後に刊行された電話帳を、全ての都道府県において一年刻みで全て収集し、全て人力でExcelファイルに落とし込んで作った表が、論証の中ではあくまでたった一行を言うためだけに使われているとしよう。その労力にまず圧倒され、次いでそれに比して出てきた成果の小ささに脱力し、乾いた笑いが漏(も)れる。そういう効果を持つ研究というのが、確かにある。

　これは、前節で見た「面白い」歴史学の下位概念である。「面白い」歴史学の中に、「笑える」歴史学があるのである。しかし、「面白い」歴史学とは、学問的に良質な研究であるから、してみれば「笑える」歴史学というのは基本的に学問的に良質な研究でなければならないということになる。仮にそれが文学としても「面白い」ということになれば、もはや神の領域である。また話をややこしくしてしまった。次に移ろう。

第二章　大学の歴史学者はなぜ融通が利かないのか

それでは、「面白い」研究を生み出すために日々戦っているアカデミズム史学とはどのようなところなのか。まずはアカデミズム史学のうち、大学で学び、研究される「歴史学」がどのようなものなのかを見ていきたい。この話をして初めて、アカデミズム史学とアマチュア歴史家とのズレが生じる原因のいくつかがご理解いただけるであろう。

そのために、以下では大学の外で歴史学を研究している方々が抱き（いだき）がちな次の四つの質問と一つの批判を軸に進めていくこととする。これらの質問や批判は、いずれもいお倉に対して寄せられたものをもとにしている。質問や批判をくださった皆様にはこの場を借りて心よりの御礼を申し上げたい。

質問①　**大学の学者に自説をまとめた論文**（あるいは手紙）**を送った。しかし返事が来なかった。学者は無礼ではないか！　なぜ返事もしないのか！　市民からの質**

問に答えるのは学者の責務ではないのか！

質問② どうして学者は体裁、体裁とうるさいことを言うのだ！ 文章がうまければ体裁なんてどうでもいいじゃないか！

質問③ どうして学者は一次史料、一次史料とうるさいのか！

質問④ どうしてウィキペディアやネット上のブログを使ってはいけないのか！

批　判 大学の学者はとにかくふんぞりかえっていてけしからん！

それでは、順にみていくこととしよう。

大学の歴史学教育の体系性

この話をするために、まず大学ではどのような歴史学教育が行われているのかを確認したい。よく抱かれるイメージだが、理系教育は体系的だが文系はその体系性がよくわからない、というのがある。しかし、この話でいくと歴史学は文系学問の中でもきわめて固い体系性を持った学問であると思われる。実際、筆者の同僚で理系学部出身の某教員は、歴史学科に就職して初めて歴史学がこんなに体系的に教育される学問なのかと驚いた、と話していた。

歴史学を学ぶ学部や学科では、多かれ少なかれ次のようなコースに分けて、段階的に教育がなされる。

1　講義
2　論文読解
3　史料（刊本）読解
4　史料（古文書・外国語史料）読解
5　研究発表
6　卒業論文

番号が若いほど早い段階で行うことが可能であり、またそうすべきとされている。1の講義は、一般に理解されている「大学の授業」である。一〇〇人も二〇〇人も入るような大講義室で、教授の退屈な講義をただ座って聴いている、アレである。もちろん、授業をするのは教授だけではなく准教授もいれば講師や助教もいるし、非常勤講師だっているし、大きな講義室だけではなく、数十人収容規模の教室で行われることもある。いずれにしても、このタイプの授業は小学校から高校までに受けてきた座学の延長線上にあり、教員（＝研究者）の研究に基づく知見を学生に一方的に伝えるという、知識伝授型の授業である。このタイプの授業は、ただ座って聴いているだけでよいので特段のスキルは必要としない。大学に入り、その専門分野を研究するために必要な最低限の知識を押さえておくための授業である。

このタイプの授業が必要となるのは、その後卒業論文という形で自身の研究をまとめる際に、その分野では今までのところどのようなことがわかっているのか、代表的な論者にはどのような人たちがいるのか、そしてどこからがまだわかっていないことなのか、ということがわかっていなければならないからである。しかし、まだ大学に入ったばかりで右も左もわからない学生が一からそのようなことをまとめ上げるのは至難の業である。そこで、講義型授業でざっくりとでも聴いたことがあると、最短距離で次に進みやすくなる。

もちろん、大学の専任教員だけでは全ての研究領域をカバーすることができないので、学外から様々な教員を非常勤として招き、なるべく多様な分野の講義を提供できるようにしている。大学の規模が大きければ大きいだけ、選べる専門分野の幅は広いというメリットがある。もちろん、大半の講義はその後実際に自分の研究テーマには絡まないのだが、「あ、これはあの先生の授業で習ったことが役立ちそう！」という瞬間があるものであり、そうした一瞬のひらめきにつなげるために、多くの無駄とも思える授業があるのだ。

2の論文読解は、たいていの大学では一通りの基礎的知見を講義型授業で学び得た二年生以上に提供される。このタイプの授業では、学術誌もしくは論文集に収録された論文を、たいていは一人一本ずつ担当し、輪読していく。輪読とは、一人一人が担当の論文を読んできて、要約し、その評価すべき点と疑問点や批判などを考え、口頭で発表していく形式をいう。もちろん、当たっていない学生もその論文に目を通しておくくらいのことはしなければ、その後発表に対する議論に参加できない。

筆者は貧乏学生だったのでアルバイトに明け暮れ、輪読の授業では担当授業以外の論文にはほとんど目を通せなかったが、そのことが今更ボディーブローのように効いている。学生に教える立場になると、圧倒的な読書量の少なさが仇(あだ)になっているのである。今更ながらこの知識量不足を埋めようと必死になってキャッチアップしようとしているが、そのために自分の新しい研究に割(さ)く時間が削られてくる。やはり、貧乏学生は多少の運に恵まれてアカデミック・ポスト（アカポス）を得られたとしても所詮は貧乏学生、裕福な学生だった人たちとは出発点から違うのだと悔し涙を流しながらも、日々歯嚙みをしながら食らいついている。

発表が終わると、その学生の発表について「討論」をする。論文読解の授業での討論とは、その学生の要約、すなわち読みが間違っているところがないか、その学生がその論文の評価すべき点としたところや批判したところが的外れでないか、あるいは他にも評価すべき点や批判点がないか、疑問点として挙げたところについて何か知っている、あるいは答えられるところはないか、といったような観点からなされる。しかし、日本の大学生は皆授業中はひじょうにシャイなので、たいていは教員がコーディネーターとなって当てない限り誰も発言しない。不思議なことに、当てればたいていの学生は何かひじょうによいことを言うものである。

3と4はいずれも史料読解なのでまとめてみていきたい。歴史学の論文に欠かせないのは、史料である。ここでよく、「資料」と書く人がいるが、「歴史学で論証の根拠として使われる文字で書かれたもの」という意味で用いられるのは「史料」の方である。「資料」の方は、会議のときに手許に渡すレジュメやスライドプリントのことを指したりするように、広く「参考に供するもの」という意味で使われる。

この史料には、大きくみて一次史料と二次史料という分け方がある。実は厳密に分けられないことも多いのだが、今はざっくりと次のように理解していただきたい。よく使われる説明だが、「いつ」「どこで」「だれが」の三要素を基準として考えよということが言われる。過去のある出来事について、「そのとき」「その場で」「その人が（＝当事者が）」書いたものを「一次史料」と呼び、そうでないものを「二次史料」と呼んでいる。たとえば、明治の政治史について言うならば、政治家自らが書いた書簡（手紙）や日記は「一次史料」にあたり、その政治家の回想録や伝記などの編纂物は「二次史料」ということになる。

しかし、たとえば今「二次史料」といった回想録や伝記も、目的を変えれば「一次史料」になりうる。たとえば、政治家の回想録や伝記を網羅的に収集して、その叙述の変遷などを分析する研究であれば、回想録や伝記は一次史料と見なしうる。先ほど、「実は厳密に分けられないことも多い」と書いたのはこういうことである。

このような史料の分け方に加えて、それが刊本（刊行されているもの）であるか未刊行のものであるかという区別をすることもある。刊本に比べ、未刊行のものは所蔵者が持っていたり、博物館や資料館に所蔵されていたりするが、いずれもより利用のハードルが高いという特徴があり、それゆえに未刊行史料をたくさん使った研究の方が評価は高くなりやすい。

大学の歴史学の授業では、まず刊本の史料を読解することから始め、それによって基礎的な史料読解の力が養われたあと、未刊行の、あるいは刊本のもととなったくずし字の史料を読解する。刊本の史料については、歴史上の人物が残した日記や書簡などを、これまた輪読形式で読んでいく。学生一人一人に史料を割り当て、その担当箇所を読んでくる。時代によって文体はかなり変わってくるから、その時代ごとの文体や独特の用語・用法などに慣れることが求められる。もちろんこれも、担当学生以外の学生も一通り目を通してくる必要がある。なぜなら、授業では不意打ちで担当学生以外の学生も当てられたりすることがあるからである。

担当学生はこれ以外にもやることがたくさんある。まず、史料は単に「読めた」からといって「読解した」ことにはならないのである。漢文で書かれた史料を訓読できたからといって、そこで何を言っているのかは、まだこの段階ではわからない。その史料で使われている個々の単語や人名のうち、基礎知識がないと理解できないものも多いからである。

そこで、担当学生はその単語や人名について、事典や論文、研究書などを駆使して明らかにしてこなければならない。その史料の中で使われている単語や人名は、可能な限りわからないものがないような状態にしてこなければならない。

こうして、史料で書かれている言葉でわからないものはなくなった。しかし、それでもまだ「読解した」とは言えない段階である。ちょっと考えてもみてほしい。たとえば妻や夫が、あるいは彼氏や彼女が浮気をしているかもしれないと疑っている場面を想像してほしい。個人的にはこういうことはしない派なのだが、彼や彼女が寝ている間にこっそりＬＩＮＥを盗み見したとしよう。そこで、よく知らない名前の人とのトークがある。最近やたらとトークしている形跡がある。そのトーク画面を見た。現代日本語で書かれている。にもかかわらず、何のことを話しているのかこちらにはわからない。おのれ、私の知らない話題についてイチャイチャ楽しそうにしゃべりやがって！　あー何話してるんだ！　とはならないだろうか。

この例でも明らかなように、言語的には完全に理解できる言葉で書かれているのに、第三者には何の話題について話しているのか、背景となるコンテキストがわからないと理解できないことはあるのだ。それと同じことが、史料についても起こっているのである。漢文を訓読し、使われている単語や人名を調べ尽くして、言語的には全て理解できる言葉に翻訳したとしても、第三者間でやり取りされている書簡などは、その話題が理解できないと完全には「読解」したことにはならないのである。

そこで、担当学生はこうした過去の人物どうしでやり取りされている話題が何であるのかを、同時代の他の史料を突き合わせながら確定していく作業が必要になってくる。場合によっては、その史料はもう先行研究で使われていて、論文や研究書で解読されている可能性もあるので、関係しそうな先行研究には可能な限り目を通しておく必要がある。

こうして、ほぼ「読解」は完了する。通常はここまでも及第点なのだが、できればプラスアルファの考察を加えるとなお高得点がもらえる。すなわち、この史料は先行研究では使われていないが、こういうテーマの研究で使うとよい効果が得られる、とか、先行研究で使われている史料だが、その読みは違うと思う、こう読んだ方がより厳密なのではないか、とか、自分がその史料を使って研究してみるとした場合、どういう使い方ができるかという観点から考察してみるのである。

以上の作業は、実は論文を書く際に最低限必要なスキルなのである。筆者はよく、この作業を料理になぞらえて「下処理」と言う。じゃがいもの芽を取り除いてから角切りにするとか、ごぼうをささがきにするとか、鶏肉の皮を剝がして塩こしょうし、小麦粉をまぶしておくとか、そういう「下処理」と同じものである。論文という一つの料理を作る際に、生の史料がそのままあっても調理に困る。最終的にフライパンに放り込むために、史料に下処理をかけて一つ一つのボウルに分けておくのである。こうすれば、短時間でスピーディに、かつ順序だててフライパンに投入することができる。

さて、こうして読解を終えた学生は、それをレジュメにして口頭発表する。他の受講生は、それに対し、史料の読みが違うとか、用語の解釈が違うとか、調べ尽くせなかった点について知っていることを発表するとかいった観点から討論していく。通常、論文読みの授業では大人しい学生も、史料読解の授業では発言が増える傾向にある。論文に比べ史料はパズルのようなゲーム性があるので、より楽しく参加しやすいためであろうか。あるいは、史料読解は通常論文読みを終えた三年生以上の学生を対象に提供されることから、学生同士も学生と教員も、ある程度気心の知れた関係になっているためであろうか。

今までは刊本の史料について話をしてきたが、やることはくずし字や外国語史料でも同じである。ただ、くずし字史料や外国語史料の場合は、この作業の前に「翻刻」や翻訳という手間が入るというところだけが違う。「翻刻」とは、くずし字を楷書の形にすることである。外国語の筆耕（ひっこう）史料の場合は、また独特な技能が求められる。楷書の形にしてしまえば、あとは通常の史料読解の授業と同じことをやればよいだけである。ただし、くずし字読みや外国語史料読解の授業は、くずし字や外国語を翻刻・翻訳するスキルを身に付けることが最優先なので、通常の史料読解の作業ほどに厳密な読みが求められないことも多い。とにかく、翻刻・翻訳できるようになってくれ、ということなのである。

こうして、基礎的な知識も身に付いた、論文の読み方もわかってきた、刊本の史料もくずし字の史料もある程度読めるようになった。さすれば次は、もう実践に投入されるのみである。まずは「5　研究発表」をして、そこで受けた指摘をもとにブラッシュアップし、最後に「6　卒業論文」を書き上げる。こう書くと単純なようだが、学生にとって一番苦しい作業でもある。というのも、これまでの1~4の授業は、全てこの5・6につなげるために最低限必要なスキルを効率的に身に付けるためにうまい具合に構成されているものなので、その授業で求められていることを「完璧に」身に付けさえすれば、実際に自分がやりたいテーマについても応用できるはずなのだが、実際にはそのスキルを「完璧に」身に付けることができる学生などいないに等しいのである。たいていは四年生の終わり頃になって「先生、あの授業でやった、アレなんでしたっけ〜」と泣きついてくるものである。

さて、このように見てきた皆様には、大学の歴史学の授業がいかに体系的に行われているかということがご理解いただけたであろう。論文というのは、こうした最低でも四年間の訓練を積んで、ようやくどうにかこうにかそれらしいものが書けるようになるものなのである。もちろん、四年間でもこの最低限の水準をクリアできない学生が大半であるという大学も多く、さりとて卒業させないわけにもいかないので、難関大学であれば落第するようなレベルであっても単位を与えるところも多い。それってどうなの？　と思われるかもしれないが、現実はそうなのでどうしようもないのである。

したがって、たとえば学会に論文を投稿してコメントなしで不採用とされた場合、あるいは大学教員に直接論文を送ったとして返事がない場合、まずは次の可能性が高いと考えていただきたい。その論文やお手紙に書かれたアイデアが、学生が四年間で身に付ける最低限の知識やスキルを欠いているものであった可能性である。このような場合、教員が仮にその論文に、修正すべきところを順を追って懇切丁寧に返答したとしよう。このような教員を、貴方はどう思うだろうか。なんて誠実な人だ、と思うだろうか。もしそう思ったとしたら、歴史学よりも職業コンプライアンスというものを一から学び直してほしい。

このようなことをする教員は、はっきり言って職業倫理にもとる教員である。決して安くない学費を払って学びに来てくれている学生に指導するのと同じようなことを、外部の人間に、タダで指導していると学生たちが知ったらどう思うであろうか。端的に言って理不尽だと思うだろう。あるいは、そんな裏技があるのならもう大学なんか来ないぞ……とは思わないかもしれない、その大学の名前と卒業証書がほしくて通っている面もあるのだから。しかし、もっと就活に有利そうな、たとえば経済学とか経営学とかの学部に行って、歴史の方は趣味でやって大学の教員に手紙送ればいいもんね！　というライフハックを学んでしまう可能性がある。大学にとっても学部にとっても由々しき事態である。

したがって、大学教員や多くの学会では、最低限学部で修得すべきスキルを身に付けていないと認められた論文に対しては、一々指導したりはしないようにしているのである。


論文の「体裁」とは歴史学界のルールである

以前、いお倉に対して質問②のような、すなわち「どうして学者は体裁、体裁とうるさいことを言うのだ！　文章がうまければ体裁なんてどうでもいいじゃないか！」というような質問をいただいたことがあった。しかし、考えてもみてほしい。各業界には固有のルールがある。なぜ歴史学だけ守らなくてもよいと思われてしまうのか？　このような質問が出ること自体に、歴史学がいかに参入障壁の低い業界と侮られているかということを痛感する。

学会に投稿された学術論文は、大学教員等からなる査読委員によって査読（審査）される。しかし、査読委員が全ての分野に精通しているということは不可能である。したがって、学術論文では「最低限どの分野の人が読んでも『何が書いてあるのか』わかる書き方をしましょう」というルールがある。これは不文律であり、これまでの学術コミュニティの暗黙の合意の中で生まれてきたものである。大学に所属し、学問の世界を多少なりとも見聞した人には何となくわかるが、そうでない場合（大学に所属していないか、所属していたとしても学問の世界には全く興味がなかった場合）にはわからないことも多いだろう。たとえば、フィギュアスケートや新体操のような審美的なスポーツであっても、いくつかの技や構成などの「枠」があり、そこから大きく外れるような演技は審査不能となる。論文にも、論文の「書き方」がある。それは「枠」や「型」と言い換えてもよいものである。そしてその枠は、大学で論文読解の授業を重ねる中で徐々に身に付くものである。

大学外でこの「枠」や「型」を身に付けようと思うと、国立国会図書館や出身大学の図書館などを利用し、その分野で評価の高い学術誌を少なくとも各一〇年分くらい読み込む必要がある。そうして読み込んだとしても、大学の論文読解の授業でやるような「討論」の過程を欠いているので、自分の読みが正しいかどうかを確かめるすべがない。同好の士に集まってもらうことができればよいが、そこでの仲間の読みも正しいかわからない。やはり少なくとも一人くらいは専門の研究者がいてほしいものであるが、後の章でも触れるがただでさえ多忙を極める研究者である。ボランティアで来てくれる者はそうそう見つからないだろう。

体裁がしっかり整っていない論文は、「審査不能」であるだけではなく、「私は貴方たちのルールに従う意志がありません」と表明しているに等しい敵対行為でもあるのである。店にもそれぞれのドレスコードがあったりする。その店のドレスコードやルールに従わない客は、たとえその商品やサービスの対価を払おうとも、店側に対しては敵対宣言をしているのと同様の効果をもたらしてしまう。論文が体裁の面で不採用になってしまった場合、学会や大学教員をなじる前に、自分のしていることがこのような敵対宣言になっているのではないか？　と心に問うてほしい。

もちろん、「枠」や「型」にこだわりすぎて硬直化した歴史叙述にも問題がないわけではない。筆者も最近この問題に取り組むようになり、国内外の様々な学術論文の「型」を調査している。日本の歴史学界でも、たかだかここ数十年間に確立したにすぎない「枠」や「型」が、絶対不変、唯一無二のように見なされていて、そこからの跳躍さえ認められないような空気がある。その空気を問題化できないか？　少なくとも、このことを考えるだけでもムーブメントが起こせないか？　というようなことを考えたりもするのだが、歴史叙述の変革はあくまで基本ができてから言うことであると肝に銘じておかねばならないと思う。基本ができていないにも拘わらず、「日本の学会は型にはまった叙述しか認めないのはけしからん！」などと声を上げることは端的に言ってダサいので、自らにも厳しく戒めるようにしている。

近年の歴史学界の水準——実証のインフレと理論回帰

質問③と④は、いずれも使用する史料や先行研究に関するものである。これに答えるために、逆に次のような問いを立てて考えてみたい。

「一次史料を全く使わずに書いた論文は、学界で認められるだろうか？」

「よく知らん他人のブログやウィキペディアを使った論文は、学界で認められるだろうか?」

筆者の専門である日本近現代政治史を例にとって話していくが、この問題は多かれ少なかれ他の時代や外国史においても共通するところがあるだろうから、その都度変換しながらご覧いただきたい。

日本近現代政治史では、一九六〇年代以降「実証史学」の大きな潮流が生まれた。これには、重要な一次史料の公開が飛躍的に進んだことも大いに与(あずか)っている。研究者は競って一次史料を翻刻し、それらをふんだんに使用して豊饒(ほうじょう)な成果を生み出した。今では、一つの論文に註が一〇〇も二〇〇もついており、未刊行史料もそれだけ豊富に使用されているのが当たり前となっている。

しかし、その結果実証のインフレ状態が発生した。とりあえず史料は掘れば何か出てくるという状況下、大同小異の個別事例研究が大量に生み落とされた。実証はどんどん細かくなり、全体像を摑(つか)むのに苦労するほど微に入り細を穿(うが)つような論文が溢(あふ)れるようになった。「クソ実証」という自嘲(じちょう)の言も聞かれるが、実際「クソ実証」ほど評価がされやすい構造になっている。現在の実証段階では、こうした実証の成果を可能な限り吸収したうえで、自身もまた同程度にまで実証的な研究を構築することが求められている。

したがって、このような大同小異の実証研究が溢れる中で独自性を打ち出すためには、プラスアルファの付加価値が必要になってくる。それが、理論である。自身の実証成果を意義付けるために、海外の歴史学における様々な試みから吸収したり、社会学や政治学、経済学などの隣接諸分野から理論を借用したりといった努力が求められる。そしてそれも、単なる借り物の議論では不十分であり、いかに自説を適切に表現しているか、いかに自説とともに語るに足る親和性があるかといったことが要請される。

このように、現在の日本近現代政治史の世界では、高度に精緻化した実証能力とともに、高い理論化能力も求められている。はっきり言って、サイヤ人の戦いなのである。そしてその周囲では、せめて地上で眺めるクリリンかヤムチャくらいまでは行っておきたい、と思いながら多くの研究者がしのぎを削っているのである。

以上のように見てきたことから、冒頭の問いに対する答えはもう自明であろう。

「一次史料を全く使わずに書いた論文は、学界で認められるだろうか？」

「よく知らん他人のブログやウィキペディアを使った論文は、学界で認められるだろうか？」

↓逆にそれで認められる学界があるんだったら筆者が教えてほしいくらいである。

ただし、ここでより厳密な話をしておくと、まずは先の一次史料と二次史料の話にも関わるのだが、この差異は厳密ではないので、ある研究では二次史料と見なされる史料でも、論点を変えれば一次史料になりうることから、「二次史料っぽい史料だけを使った論文」でも学術誌に載っているのは、たまにある。ただ、そういう場合は、そこで使われている史料が編纂物ばかりで一見「二次史料」っぽくても、どういう目的で使われているかということが判断されたうえで採用に至っているのである。

だから、「一次史料が使われていない」という理由で不採用になった場合、それは「このテーマであれば使うべき一次史料は知られている限りでもこれとこれとこんなんがあるから最低限それらは使っていてしかるべきところであるにもかかわらず、それらを全く使わず、あまつさえそれを使わない理由も示されていない。しかもそれ以外の一次史料があるかといったらそれもない」というような理由で不採用になっているのだと、ご理解いただきたい。次の章で詳しく述べるが、査読委員もここまで細かく懇切丁寧なコメントを返すことができない事情があるのである。行間を読み込むように意識していただければありがたい。

他人のブログやウィキペディアについても同じようなことが言える。基本的に、われわれ大学教員が授業で学生にブログやウィキペディアを参考文献にしないようにと指導するとき、それはその記述に誤りが少なくないという理由に加え、著者が匿名であるためその記述に責任を負えないという理由がある。後者の理由は前者とも密接に関わっている。匿名であれば、その発言に責任を追及されることもなく、したがって誤った情報でも無責任に拡散してしまいやすいという構造的な問題があるからである。

　では、ウィキペディアであってもブログであっても正しい情報であれば使っていいのか？という問題が次に想起されるが、その情報が正しいかどうか確かめる労力があるなら、査読を経た論文や学術書を探して読んだ方がはるかにショートカットであるとは思い至らないだろうか。査読論文や学術書であれば、先に示したように、既に「批判し批判される」という厳しい過程を経ているので、ある程度その質は担保されていると考えることができる。したがって、特に説明もなくそのまま先行研究として使用することができる。

　これに対し、ウィキペディアやよく知らない他人のブログ記事の場合、その情報の質を担保するためには、まず「このウィキペディアは出典が不明であるが、著者が調べたところ、コレとコレとこういう文献を使って書かれているということが明らかであり、その記述には概ね誤りはないことが確認された。したがって、以後このウィキペディアを使用して論じていく」と書かなければならない。しかし、このように書かれている論文があったら、「いや、それならその元の文献使えよ！」とならないだろうか。ケッタイなことをする人もいるものである。

さて、そのうえで、ウィキペディアやブログについても、それを使った論文がありえないわけではない。たとえば、ウィキペディアの記述を「史料」と見なして分析したり、ブログを網羅的に分析して現代日本の問題を考えたりするような同時代史の史料として使用する場合などであれば、ウィキペディアやブログは論証上重要な史料となりうる。だから、「ウィキペディアやブログを使っている」という理由で不採用になった場合、「本来は査読を経た論文や学術書を複数点用いて展開すべき先行研究整理や基礎的事実の確認の項で、何の断りもなく出所不明の情報を用いていることが学術的に見て不適切である」と言われたのだと、その行間を読み取ってほしい。

さて、それでは最後に、われわれ大学教員にとって最も傷つく批判「大学の学者はとにかくふんぞりかえっていてけしからん！」について考えていきたいのだが、これには更に紙幅を割いて丁寧にお答えする必要があるので、節を分けて見ていきたい。

大学教員は何をしているのか

こうして一つ一つ丁寧に大学の歴史学について解説していっても、一部のアマチュア歴史家の方からは、「なぜだかわからんが、とにかく大学の学者はふんぞりかえっておる」というご批判を頂戴してしまう。これは筆者のような若輩はまだ幸い頂戴したことがないのだが、アマチュアの歴史家の方が書かれたブログなどで頻繁に拝見する。実際、いお倉にご投稿いただいたある方のブログでも、全くいお倉とは関係のない記事であったが、「ふんぞりかえった大学教員にはわかるまい」的なニュアンスのことが書かれてあって、不安な気持ちになった。

しかし、ちょっと立ち止まって見てほしい。

「大学の学者はふんぞりかえっている」

これは、果たして「事実」なのだろうか？「ふんぞりかえっている」というのが事実であるならば、まず「ふんぞりかえる」という状況を定義し、全ての大学の歴史学教員を連れてきて、その定義に合致しているかどうかを確認しなければならないはずである。そして大本の、その「ふんぞりかえる」という定義も、国語的に、また一般の用例的に遠く離れた定義ではいけない。

こころみに、ジャパンナレッジで非常に広く利用されている『日本国語大辞典』で「ふんぞりかえる」の項を見てみれば、「足を前に出して上体を後ろへそらす。多く、『ふんぞる（踏反）』を強めて、いばった態度をとるさまにいう」とある。したがって、大学教員が「いばった態度」をとっている、というように言いかえることができる。

それでは、大学教員は本当に「いばって」いるのだろうか？　少なくとも筆者が知る限り、他分野はともかく、歴史学において「いばった」態度をとるような教員はいない。そもそも、「いばった」「ふんぞりかえったような」という形容もかなり主観的なものである。そうであるならば、「いばった（ように見える）」「ふんぞりかえっている（ように見える）」ということなのではないか？

しかしここでさらに考えてほしい。その、貴方が「ふんぞりかえっている」「いばって」いる「ように見えた」大学の歴史学者は、具体的に何人いたのだろうか。そしてそれは、いつの時代の話だろうか。これは非常に重要な問題で、突き詰めて考えていくと、おそらく具体的に何年から何年頃、どこそこの大学にいたナニガシという教員である、とはっきりと個人名が特定できてしまうたぐいの問題ではなかろうか。

われわれは、たまたま遭遇した少ない例をもって、その事柄の代表例と認識してしまう思考のバグを持っている。海外の旅先で蛮行をおかしたら、それが「日本人の代表」と見なされるんだから注意しようね、ということを言われるのはそのためである。大学教員ふんぞりかえる問題でも、たまたま貴方が会った、あるいは目にした具体的なナニガシという大学教員が、たまたまえらそうな物言いをしていたので、気に食わなくて、大学の歴史教員全般がそういう人種だと考えるに至ってしまったのではないだろうか。

一方で、大学教員として日頃主に大学教員ばかりの環境で働いている筆者には、大学教員にはいろんな人がいることを知っているので、「大学教員はふんぞりかえっている」などと思うことはまずない。これはこの批判に対する一つの答えである。

もう一つ、事実として大学教員が「ふんぞりかえって」などいられない事情もある。大学教員であればこちらの事情の方がより切実で、それゆえ「こんな状況でふんぞりかえってるなんて言われたらたまんねえよ」と泣きたいような気持ちになるのである。その話を次にしていきたい。

大学教員の仕事

大学教員の正規の仕事は、大きく分けて①研究・②教育・③学務の三本柱で構成されている。このうち最もよく知られているのは教育であろう。それだけ多くの人の前にさらされるからであり、いわばこれが教員の「オモテの顔」である。ただしこれも、授業だけが仕事と思っては大間違いで、その授業の準備をするためには、少なくとも一コマ分の授業の背後に数ヶ月から場合によっては数年、数十年の準備期間が必要となる。それが、一つの授業で半期一五回、一年で三〇回分。そして多くの教員はだいたい半期に六コマほどの授業を持っているので、×六ということになる。

更に、学期末にはテストやレポートの採点をしなければならない。受講生二〇〇人の大講義を持っていれば、二〇〇人分の採点をしなければならない。最終学年の学生には卒論の審査という最大の仕事もある。一人一人、精魂込めて書いた論文である。ザツな読み方はできない。努力には、こちらも努力でお返ししなければならない。大学院の院生も担当している場合は、更に修士論文や博士論文の審査も重なるので、通常大学教員にとって一月末から二月前半というのは最大の繁忙期なのである。

これは三本柱のあくまで一つで、実は大学教員にとって欠かせない仕事が、研究である。論文が量産されやすい分野もあるだろうが、歴史学でいえば最低でも年一本書いていれば上出来、とされる。それだけ歴史学で論文を書くことはしんどいのである。

もちろん、論文は必ずしも書き続けなければならないというものではない。中小私大になると、研究はいいから学生のお世話にもっと時間を割いてほしいというのが経営陣の本音であろう。偏差値上位校では、教員が一々指示しなくても勝手に動いてくれる学生が多いが、中小私大では自ら学ぶほどに意欲のある学生はそう多くはない。したがって、学生の第二の父母のように、懇切丁寧に生活指導まで含めた学生サポートをすることで、保護者にアピールしなければならないのである。

したがって、教員は年一本の論文も書くことが難しくなる。そうなると、授業では昔の知識をアップデートすることもできずに、十数年間同じ授業資料を使いまわすようなことになるか、自分の研究成果はほとんど話さず、他人の研究をまとめたような内容の授業を、これまた何年も使いまわすことになる。

しかし、これでは高校までの教員と差異化ができない。大学の教員である以上、研究の中で得られた知見を伝えなければ存在意義が揺らいでしまう。そこで無理にでも毎年細々と研究を続けるしかないのだが、そのために大半の教員はオーバーワークぎみになっている。

それでは偏差値上位校の大学教員は研究がしやすいかというと、ここにはまたそれなりの問題がある。国公立大学では年々教員一人に与えられる研究費の額は減っているので、大学の予算内では十分な研究ができなくなる。そこで科研費（科学研究費補助金）などの外部資金に頼ることになるのだが、その申請書を書くための仕事がこれまた並大抵ではない。適当にやって採択されるようなものではないので、それなりに時間と精力を使い果たすことになる。そして、結局研究に割く時間は減っていく。

しかしながら、国公立大学や有名私大では、少なくとも大学教員が最新の研究にキャッチアップしやすい環境はあるといえるだろう。学ぶ意欲のある学生が多いということは、授業準備を通じて教員自身が日々最新の研究成果を吸収しなければならないということでもあるからである。また、史料読解の中で新たな発見をし、それが新たな研究に還元されるということも多々ある。

そして、大学教員の正規の仕事の残りの一つが、学務である。これは最も学生や保護者、世間から見えにくい部分であるにもかかわらず、教員にとっては非常に大きな労力を割かなければならない仕事である。大学という組織を維持していくために、教員を蔭になり日向になりサポートしてくださる存在には、事務職員さんたちがいるが、より教員組織である学部や学科に即した組織維持の業務を進めていくための組織として、教員のみで、あるいは教員と職員で構成される各種委員会がある。人事や学生の諸問題、会計や図書関連など、様々な委員会が各大学にはある。

また、大学教員はオープンキャンパスや入試などのために毎年早くから奮闘している。国公立大学ではオープンキャンパスはたいてい夏の一回、入試も冬に一回か二回と決まっているが、私立大学では、大学によってはオープンキャンパスが年に一〇回も二〇回も、入試も同じく年に一〇回も二〇回も開催されているところがある。そのために教員はほぼ毎週休日出勤をしているのである。筆者はかつて、同規模の大学のWEBサイトをしらみつぶしに調べ、オープンキャンパスや入試の回数を比較していたことがあるのだが、筆者が勤めていた私大はオープンキャンパス、入試ともに全国でも最も開催回数の多い部類であった。

入試のためには、問題を作らないといけない。問題には間違いがあってはいけないので、年に何度も何度も会議をして、たいへんな慎重さでもって入稿する。そして、試験当日には試験会場で監督業務をしなければならない。試験監督の業務には、おそろしく分厚いマニュアルが配られる。受験生にとっては一生を決める大事な戦場である。監督業務の不備によって受験生の人生に影響を与えることがあってはならない。したがって、起こりうるあらゆる事態を想定して、こういうときにはこうする、こういうときにはこうする、と定められているのである。それだけに、試験監督はひじょうに神経を使う仕事であり、一日を終えるとほっとしてしばらく何もしたくなくなる。

しかし、いつまでも放心しているわけにはいかない。試験が終わると怒濤の採点業務が始まる。数百人から場合によっては数千人の受験生の答案を、手分けして採点していくのである。筆者が以前勤めていた国立大学は、たいへん受験者数が多かったので、大勢の教員が工場のように規律だったやり方で採点をしていた。

このほかにも大学によって独自の様々な学務があるが、それはあまりに個別事例にわたるので、ここではあくまで一般的な業務を記すにとどめておきたい。

学外の業務

以上のような正規の仕事に加えて、大学教員はたいてい学外で様々な仕事をしている。学外の仕事としては、主なものでは学会の委員・論文の査読・各種委員の仕事・講演・依頼原稿執筆・非常勤講師・自治体の行政への協力・メディア出演などがある。

分野によって、それぞれの仕事の配分には多少の変動がある。たとえば、考古学や建築史学の教員などは、年に数十件～一〇〇件近くの文化財調査に従事し、その都度詳細な報告書を提出しなければならない。歴史学でも、自治体の要請で史料群の調査のために、個人のお宅や史料所蔵機関に出かけることがある。そして史料の概要を把握し、どうやって調査するかを所蔵者や所蔵機関と相談し、その手順に沿って史料のお掃除(そうじ)、燻蒸(くんじょう)、分類と保管処理、撮影、目録取りなどの作業を進めていく。学生や院生を引率して授業の一環で行うこともある。非常に長い年月がかかる仕事である。興味がある方は、各大学や所蔵機関の紀要(きよう)や広報誌を眺めてみてほしい。各教員がどのような作業を行っているのか、そしてその多大なる労力のうえに貴重な史料が公開され、利用されているのだということに思いを馳せるとき、筆者などは敬虔(けいけん)な気持ちになる。

学外にはこのように様々な仕事があるが、いずれにも共通する最も重要な点は、ほとんどがボランティアか、雀の涙ほどの謝礼しか出ないということである。

「いやいや、そうは言っても先生たちは本とかたくさん書いてるじゃないですか。それって印税出てるんでしょ？」

とんでもない誤解でひっくり返りそうである。大学教員の書くような本はほとんどが大学教員か院生、学生、大学関係者、つまるところアカデミズム史学という限られた人口のグループに向けて書かれたものである。したがって、それほど需要が見込めるものではないから、そもそも少部数しか発行しない。しかし、出版社とて営利事業であるから、どこで引き合わせているかというと、値段を吊り上げるのである。学術書には、一般書では考えられないような値段がついていてギョっとすることがあるだろう。筆者の初めて出した単著も税込みで七〇〇〇円を超えている。ちょっとした数年ものの秘蔵酒なみの値段である。しかしこれなどは比較的安価な方で、一般的に歴史学の学術書は一万円ほどするものが決して珍しくはない。

しかも、おそろしいことにその本の売り上げの多くは著者が買い取ることで成り立っているのだ。どういうことか？　わかりやすく言おう。アカデミズム史学では、お世話になった先生にお礼の気持ちを込めて、自分の発表した論文や本を贈るという文化がある。これまでの先生から受けたご学恩のおかげでここまでのことが言えるようになりました、ありがとうございます、という感謝の気持ちを込めるのである。それだけではない。面識のない先生にも、その先生の研究テーマに近ければ、あるいはその本の中で重要な引用をさせていただいたときには、自分の研究を知ってもらうために論文や本を贈ることがある。いや、もはや研究テーマ云々とは無関係に、あの先生にはとにかく知ってもらいたい！という目的だけで贈ることもある。そうした場合に、学術書を「著者献本」として著者自らが買い取るのである。

しかし、高価な学術書のことである。数部買い取るだけでも数万円、ましてや数十部ともなれば……。筆者が初めて書いた単著の場合、献本は一〇〇部を超えていた。簡単な算数問題なので考えてみてほしい。

しかし、それでもこの献本という行為はその出費以上の価値があるので研究者は皆やめられないのである。献本を通じて交流が始まった先生方も少なくないし、逆に先方からもまたその返礼として著書をお贈りいただくことがある。そうやって、アカデミズム史学のコミュニティは形成されていくのである。

「でも、この本はお手頃価格ですよね？」

それはこの本が一般向けの新書だからである。

一般向けの新書や文庫というのは、基本的にはお手頃価格で販売されている。その分だけ部数を増やして引き合わせているのである。しかし、それだけ売り上げが狙えると見込まれたテーマにしか、出版社は声をかけない。それだけに、この本のお話をいただいたことはたいへん光栄なことではあるが、未だに筆者の専門分野では新書のお話をいただかないことを考えれば手放しでは喜べない。別にいいけど。

一般向けの新書や文庫でも、学術書と同様に献本を行う。一般書では多くの場合、学術書と違って印税が発生するが、多くの場合、この献本によって相殺(そうさい)されてしまう。

学会の委員の仕事については後に詳しく見ていくこととして、ここでは少し別の問題に話を移したい。

近年の大学を取り巻く問題

こうした多種多様な業務を担う大学教員であるが、近年その数が少しずつ減ってきている。大学ではリストラなどはあまり聞かないと思われるかもしれない。確かに、大学という組織ではよほどのことがない限り長年勤続し、その分野で国内外で著名な功績を挙げてきた唯一無二の教員をリストラするということはよほどの不祥事がない限りできない。それではどうするかというと、その教員が退職した後に、新たな教員を補充しないのである。こうして、自然な減少に任せるのである。

これは現場の教員の判断ではなく、経営判断である。現場の教員にとっては、前節で述べたような学務・教育を担う同僚が減るのでひじょうに困った事態である。残った教員でその穴を埋めなければならないからである。そうすると、一人の教員にかかる業務が過重になる。いま、どの業界でも深刻な人手不足が問題になっているが、大学教員の世界でも例外ではないのである。

以上は大学業界全体の趨勢でもあるが、歴史学も含む人文系の分野では特に深刻である。

「生き馬の目を抜く」ような学界

大学に入ることは、「入学」と言う。これをもじって、やや自嘲気味に大学院に入ることを「入院」と言うことがある。大学院に入ると病気になるくらいきつく、世間から隔絶された孤独で過酷な世界だ、という含意がある。もしかすると「寺院」の「院」かもしれないが、一般的には前者の意味であろう。

しかしこれは冗談ではなく、本当に大学院に入って研究を続ける中で心身を病んでしまう人は後を絶たない。収入の途はない、学費だけはかかる、その中で就職するためには毎年コンスタントに業績を上げ続けなければならない。業績とは、端的に言って論文数である。しかし、論文を作り上げる前段階で、学内や学会で叩かれて叩かれて、心が折れてしまうこともある。また、同期や同世代の研究者がどんどん業績を上げている中で自分の研究が停滞しているとき、強い焦りを感じる。うまい具合に波に乗って論文をコンスタントに発表できたとしても、就職につながるかどうかは時の運である。前節で述べたように、大学教員自体の口は減っている。全国どこでも良いから就職したい！　と思っていても、歴史学の、しかもちょうど専門の分野の教員の募集が一年のうちに一度もないということもある。このような中で、焦りと不安と過労で、心身を病んで辞めていく人を、これまでに筆者も何人も見送ってきた。それは明日の筆者かもしれないとの思いが、ますます焦りに拍車をかける。

中には、たいへん悲しいことであるが命を絶ってしまう人もいる。二〇一九年の『朝日新聞デジタル』の報道を皮切りに複数のメディアで取り上げられた宗教学者・西村玲氏の自殺は、ご記憶にある方も多いかもしれないが、当時任期付きの助教として雇用され、任期が切れるまでにパーマネントの職に就かなければという焦りの中を生きていた筆者にとって衝撃であった。西村氏は若くして多くの業績もあり、その分野では高く評価される研究者であったにもかかわらず、命を絶たねばならなかった。そのことが非常におそろしく、西村氏ほどに業績があるわけでもなく、業界で高く評価されているわけでもない中途半端な筆者は、完全に将来を悲観した。

西村氏と筆者は面識はなかったが、実は筆者のよく知る親しい研究者が一人、その数年前に自ら命を絶っていた。ニュースにもならなかったが、筆者にとっては研究の世界に足を踏み入れたときに導いてくれた、たいへん恩を感じていた人でもあったので、今でもまだ完全には受け止め切れていない。

筆者は、あまりストレスに気づきにくい人間かもしれないと思う。「辛い」「しんどい」と思っても、ある程度頑張り続けてしまう。その結果、身体に出る。

筆者はいま、二つの治らない病気を抱えて、闘病しながら研究を続けている。表面上は元気そうに見えるが、時折、病人であるという現実を突きつけられることがある。普通の人と同じようにできないことがいくつかある。研究者は、これまで述べてきたようにただでさえハードワークで、多くの成果を上げる研究者であるほどショートスリーパーの傾向がある。しかし、筆者は睡眠時間を削ればとたんに体調が悪くなり、パフォーマンスが落ちる。この病気の治療には、睡眠時間を削ることは禁忌なのである。治療費を捻出するためにも、働かなければならない。しかし、働きすぎると悪くなって、治療費どころか生活費も捻出できなくなる。だから、セーブしなければならない。しかし、そうすると研究が遅れる。周囲の研究者を見て、焦る。薬の飲み方にも注意が要る。食べ物にも、注意が要る。集団行動では普通の人より多少気を遣わなければいけないことが増える。一つ一つは些細なことでも積もると大きく、何か他のところでミスが起きたりする。ストレスになる。その繰り返しである。

しかし実は「普通に」研究できていると思っていた研究者も、親しくなってみると、実は何らかの病気を抱えていることがわかったりする。研究者は多かれ少なかれ、満身創痍(まんしんそうい)なのである。

こういうことがあると、本当に研究とは、自分のしていることとは一体なんなのだろうと思えてくる。そこまでの犠牲を払ってすることなのだろうか。かように、学界とは過酷な、修羅の道なのである。

若手研究者をめぐる問題

研究者の仕事が過酷であることは今に始まったことではないが、特に若手研究者にとっての過酷さが半端なくヤバい、ということが言われるようになってきたのがちょうど筆者が大学院生になった頃であったのではないかと思う。ちょうど国が大学院重点化の政策を始めたのが平成初期で、筆者が大学に入った頃に大学院拡充政策が国立大学でほぼ完了し、大学院生の募集がピークに達した頃であったと思う。そして、その後起こった問題はというと、増えた大学院生に対して、ポストは思うように増えなかったどころか減ってさえいたのだから、それだけ多くの大学院生が職に就けずにあぶれていた。

「こんなところに入院するより就職した方がいいよ」との先輩の忠告で何度も何度も迷ったのが、ちょうど二〇〇九年頃であったと思う。この忠告を受けて、進学を諦めた人もたくさんいた。ちょうどリーマンショック後の大不況の時期であったので、就職戦線はひじょうに厳しく、実家の太い学生に「とりあえず進学」を選ぶ者もいるにはいたのだが、それでもその後大学院進学者は少しずつ減っていったように思われる。

その結果どういうことが起きたかというと、それまでに増えた大学院生数を基準に成り立っていた各種の雑務を、減っていく院生で支えなければならなくなったのである。関西では、学会の委員を大学院生が担っている。しかし、院生数の減少にもかかわらず、関西圏では大きな学会だけでも三つはあり、その学会の委員を同じ院生が代わる代わる引き受けているというような状況がある。

筆者もとある関西の学会で委員の仕事の依頼があったとき、一つ上の先輩から「この仕事は出世コースだから。上を見てごらん。大学のポストに就いてる人は皆やってる」とかいう甘言を真に受けて引き受けてしまったのだが、以後この甘言は必ずしも使えなくなってしまった。その仕事をやったからといって、必ずしもアカポスに就けるとは限らない状況になってしまったからである。つくづく罪深い甘言だったと思う。

事態はさらに上の、任期付き教員についても同様である。大学教員自体の数が減っているから、学内の責任ある業務を経験不足の若手教員が担わなければならなくなっている。学内だけではなく、学外の委員仕事なども抱える。論文の査読は、このような不安定な教員が担っていることもあるのだ。

さて、以上の話を踏まえたうえで、もう一度問う。大学教員は、「ふんぞりかえって」いるように見えるだろうか？　仮に「ふんぞりかえって」いるように見えるとしたら、それは過剰な業務負担と心身のストレスにより、「苛立って」いるのではないだろうか。苛立ちは時に、「えらそう」に見えることもある。しかし、それは「俺様は大学の教員様だぞ！貴様のような素人ごときがくだらんものを送り付けてくるんじゃない！」というような態度とは全く異質である。むしろ筆者には、「貴方は趣味で楽しいかもしれないけど、こっちはこんなに忙しいのに、こんなに苦しいのに、どうしてわかってくれないんですか！　貴方がせめて大学卒業レベルの論文を送ってくれていたらそれほど困らないのに、貴方が大学生でも書かないようなものを書いて送ってくださるから、私はどうしていいかわからないじゃないですか！　返事をしなくてもキレられるし、返事をするにも学生に教える以上に労力がかかるし、そもそもそれをしていいものかどうかも判断がつかないし、そういう難しい仕事をどうして持ち込んでくださるのですか！」という魂の悲鳴のように思えてならない。

それでも、やっぱり時々は大学教員に対し、「ふんぞりかえっていけ好かねえ」と思うこともあるだろう。そういう気持ちになったときには、ここに書いてあることを思い出し、自分の子どもが「大学教員になりたい」と言い出したと考えてほしい。絶対に止めるだろう。

大学教員は、アマチュアの皆様のように、大学卒業と同時に定職があったわけでもなければ、完全週休二日・八時間勤務という好条件で働けたわけでもなければ、明日も明後日もご飯が食べられるということが確約されていたわけでもない、かわいそうな人たちなのだ。パートナーに扶養されている男性研究者は多いが、なぜだか社会的には肩身の狭い思いをするのだ。三十路を超えても狭くて古い木造アパートに住んでいたりするのだ。女性研究者の場合は、パートナーがいてもいなくても家事を全て負担していたりもするのだ。人によっては学部・修士・博士課程までの奨学金の返済で首が回らなかったりするのだ。競争圧力と不安定な身分のストレスと不規則で不健康な生活のせいで心身を病んだりするのだ。貴方がたの方がむしろ、まぶしく見えるのだ。施しと憐みの眼を向けられこそすれ、「ふんぞりかえっている」などと恨まれなければならないいわれはないのだ。悲しすぎて、もうアライさんになるしかないのだ。[*2]

*2　時々、学生の論文でこういう「のだ」を多用する文体を見かけることがある。論文では基本的に「のである」はあっても「のだ」はあまり使わない。なぜかと聞かれたら困るが、なぜかそういうふうに言われるし、実際論文を見てみると、確かに「のだ」はあまり見ない。しかし、一般向けの本などでは「のだ」はよく見るのだ。これもなぜだかわからないが、実際そういうものの方が学生の眼に触れる機会が多いから、そのような文体を知らず知らずに身に付けてしまうのだろう。筆者はよく「アライさんになってるよ」と指導する。よくわからない人は「アライさん」で検索してほしい。もうこのネ

大学教員に手紙を送る行為

以上の話を踏まえたうえで、この問題を考えていきたい。既に前節までにも折に触れ論文を学会に投稿して不採用になるということについて解説をしてきたが、ここでは論文送付も含めて、大学教員に手紙を送る行為について考えていきたい。

まず、大学教員やその研究室に手紙や論文を送るアマチュア歴史家の多くは、「大学教員の指導を仰ぎたい」「大学教員は、市民の疑問や発見に応えるべき責務がある」と思っていると考えて間違いはないだろう。一方大学教員は、高い学費を払ってくれた学生・院生に

タも下手したらそろそろ通じない学生が入ってくるかもしれないと怯えている。一昔前なら「天才バカボン（のパパ）」と言っていたかもしれない。このほかにも、論文ではあまり好まれない表現というのがいくつかあって、やはりこれも論文読みの授業などでたくさんの論文に触れていないとわからないだろう（授業を受けていても伝わらない学生も多いのが嘆かわしいが）。しかし、それがなぜなのかと聞かれたら、やはりわからないことが多い。こういう用例を検討した論文もあるようだが、読んでも結局何がいけないのかはっきりとした答えを示してくれているものはなかった。使っていたからといっていけないということでは必ずしもないだろうが、査読者の心象が悪くなって、査読の厳しさに若干、零コンマ零々幾％くらいでも響く可能性がある表現は、やっぱりやめた方がいいとも思う。しかし、それは大学の指導では言えても、査読者として意見するときにはちょっと迷ってしまう。内容はいいんだが「のだ」が気になるという論文を、どうすることもできないでモヤモヤする。一度こういう問題を洗い出して（アライさんだけに）、学界全体で真剣に考えた方がいいんじゃないかと思うのだが、未だにそういう動きは起きない。やれやれ、仕方ないからこれもまた筆者がやらねばならんのかねと思っている。

一から指導するような教育サービスを、タダでよく知らない人に提供することは職業倫理に悖る行為であるから、基本的にはできない。これはここまでに話してきたことである。「しかしそれでは大学教員は我々に対する社会的責務を果たしていない！」とお怒りになる向きもあろう。だがそもそも、大学教員は講演やシンポジウム・学会での公表や科研費の成果報告によってその責務を果たしている。突然のお手紙・メール全てに答えることは、あくまでその教員の時間的・精神的余裕という条件が揃ったときに行われる「好意」にすぎない。

こんなことを言うと突き放したように聞こえるかもしれないが、実際にはわれわれは市民の方からの問い合わせにお答えすることもある。お手紙が丁重で礼を尽くしたものであり、かつその疑問に対して他に頼るすべを知らず、やむにやまれず筆を執ったという背景が読み取れる場合、「時間の許す限り何とかしてさしあげたい」と思うのが研究者の人情である。仮にその質問が自分の力で答えることの難しいものであっても、知人や然るべき機関につなぐことを考える。しかし、大学教員に一方的な敵意をぶつけたり、自説の正しさを押し付けようとしたりするような内容であった場合は別である。

以前、筆者が大学院生であった時分、研究室は自治的に運営されており、院生が輪番で毎朝の研究室のお掃除や届いた手紙類の整理、電話番などをしていた。その中で、結構な頻度でこのような自説を訴えるお手紙が論文とともに送られてきたり、「邪馬台国の謎について云々」というような質問が電話でかかってきたりすることがあった。なぜだかわからないが、こうしたお手紙や電話をくださる方の多くは古代史ファンで、比較的年齢が高い傾向にあった。

筆者は古代史には疎いので、こうした問い合わせやお手紙にどうしてよいのかわからなくて困っていたが、そこはさるもの、この研究室ではそうした問い合わせに対する返答マニュアルが存在した。質問電話に対する答えとしては、「ここは大学院生の運営する研究室ですので、詳しくお知りになりたい場合は○○博物館か○○研究所に問い合わせてください」等といった形で返す。論文同封のお手紙に対しては、内容を見て教員に回すが、基本的には返答しない、というものであった。このようなマニュアルが存在すること自体、いかにそれまでこの種の質問やお手紙が多かったかということがうかがえる。同じようなことは大学の研究室だけではなく、学会で委員をしていたときにも頻繁に遭遇したが、対応は同様であった。

しかし、このような対応は大学や学会という巨大な組織が背景にあるからこそできることである。仮に大学教員個人宛にそのような手紙や電話があった場合、返答次第ではその教員に対する個人攻撃を招きかねない。メンタルの強壮な人であれば無視することもできるだろうし、実際筆者の周囲では専らそのようにしているようだった。一方、筆者のように神経の細かい研究者には、そのようなことはとてもできない。もし返答がお気に召さなかったら、攻撃の手紙がどんどん送られて来たり、直接攻撃に来られたり、つきまといをされたり、あるいはSNS上で誹謗中傷などをされたりする危険がある。こんな恐怖を感じないという周囲の女性研究者の気持ちが一ミリもわからない。女性研究者というのは、多かれ少なかれサイヤ人なのかもしれない。筆者などは所詮、恐怖と不安で本務にも差し支えるただの戦闘力五の地球人である。

これには、世代間の深刻なギャップも背景にあるだろう。現在比較的高齢の方にとっては、手紙を送ったり電話をかけたりする行為は当たり前のコミュニケーションツールとして理解されているかもしれない。しかし、現在三〇代や二〇代の、いわゆるミレニアル世代、ゆとり世代、Z世代と呼ばれる人びとにとって、コミュニケーションツールはメールやチャットが当たり前で、電話はごく親しい人や仕事上の関係者とのみするもの、手紙は相当重要な取引相手とよほど礼を尽くす必要がある特別なときにしか送り合わないもの、という感覚である。したがって、全く知らない人から電話があったり手紙が届いたりすると、これらの世代の人間はまず恐怖を感じる。現在、大学業界も世代交代が急速に進んでおり、大学教員も三〇代、二〇代の教員が増えてきている。したがって、今後ますます突然のお電話やお手紙が警戒される時代となることが予想される。

このように、大学教員に一方的に自説を訴えるお手紙を送ってしまったり電話をかけてしまったりする行為は、大学教員とコミュニケーションをとりたいという本来の目的からますます遠ざかってしまうのである。

大学教員も人間である。最低限、人と人のコミュニケーションに求められる礼節と気遣いを心掛けていただけるとありがたい。大学教員に自説を訴えたい！　と思われたときには、先ほど来述べてきた大学教員を取り巻く修羅の世界や現在の大学教員の世代の感覚をほんの少しでも思い出していただき、まずは圧倒的上位存在の余裕を持って心を落ち着けてほしい。

「しかし、それでは私の研究はどうなるのだ。どこに訴えて認めてもらえばよいのだ」という質問があろう。そのような場は既にある。学会である。

「いや、何を言っているんだ！　私の論文は学会に投稿してもけんもほろろで返ってきたのだ！　だから大学教員に送り付けたのに、また学会の話をするのか！」

さて、その論文は、なぜ「けんもほろろ」で返ってきたのだろうか？　これまでの話でいくつかは触れた。学部四年間で身に付けられる体系的な学問の基礎が身に付いていないと判断された場合であり、それを全て細かく「指導」することが職業倫理上できないから不採用通知だけで返ってきたのである。

しかし、それだけではまだ不満が治まらない方々がおられることと思う。そこで、ここで話し尽くせなかった「学会」というものの構造的な話をしてから、再度なぜ貴方の論文が不採用になってしまったのか、採用されるにはどうすればよいかを考えていきたい。

第三章　学会とはどのようなところか

学会の仕事

学会は、大学が運営しているものと民間の法人として運営されているものなど、運営母体は様々であるが、共通して大きな二つの業務がある。学会誌の発行と学術大会の開催である。研究者たちの日頃の学術活動は、大学の内部だけで止めておいては学問は発展しない。そもそも、学問とは古来、研究者どうしが研究成果を戦わせる中で発展してきたのである。そのような研究成果の討議、更には全国の研究者との研究を通じた交流によりそれまで知らなかったような研究潮流に触れたり、新たな研究が始まったりする場、それが学会である。

理系の学会などは、その分野の大家のような研究者が中核となって運営し、事務的な業務は専門の事務員が何人もいたりする。しかし、人文系の学会の多くはそのような事務員を置けないことが多く、大学教員や院生が手弁当で委員を担っている。

ここで、この手弁当で運営される学会の委員の仕事がどのようなものであるのかを見ていきたい。

まず、学会の仕事の大きな二つの柱の一つ、学会誌の発行に関わる業務である。これは大きく分けて、査読・編集会議・全体委員会での決議・編集事務・印刷・校正（こうせい）である。ここで、皆様が最も気になるのが「査読」であろう。査読とは、投稿された論文に最も専門の近い編集委員＋外部の専門家一～二名によって担われる。たいてい大学教員であるが、歴史学の場合は大学の専任教員だけではひじょうに数が限られているので、非常勤講師や博物館学芸員、自治体職員の方々にもご協力いただかなければならないことが多い。

学会誌は分野によって、権威のある、あるいは難易度の高い雑誌とそうでない雑誌というのがある。理系の分野では「インパクト・ファクター（IF）」という指標があるが、文系ではそのようなものがなく、その分野の中にしばらく身を置かなければわからないことが多い。学生として大学に所属していると、授業の中で「その雑誌はあまりしっかりした雑誌ではないから、○○や××を見なさい」と指導されることがある。こうして、その分野ごとに評価の高い学術誌を知っていくのである。逆に言えば、大学でも全く歴史学を学んだ経験がないアマチュアの歴史家にとっては、まずはこの評価の高い学術誌が何であるかの見極めが最初にして最大のハードルになっている。

評価の高い、あるいは権威のある、という言い方をしたが、それは質が高いということであり、学術誌の質は専ら査読の厳しさで決まってくる。日本史分野では人により若干の見解の相違はあるが、どの研究者も揃って挙げる学術誌は五つか六つくらいであろう。興味があれば、大学教員がやっている講演などに足を運び、質問してみてほしい。くれぐれもいきなり電凸（でんとつ）なさらないように。

査読結果の通知基準

ここで、もう一度先ほどから考えてきたよくある不満に戻ってみたい。「学会に論文を投稿したが、不採用になった」というものである。おそらくここでは、何がいけなかったのか、どう直せばよいのかといった細かいコメントがなかったのだろう。だからアマチュアの方は強い不満を抱かれるのである。そうして、大学教員に直接お手紙を送るという挙に出てしまうのである。しかし、学会が不採用論文に細かいコメントを付さないことには深い理由がある。それを順を追ってみていきたい。

基本的に、多くの学会では査読結果の通知には次のような基準が設けられている。「採用・修正の後今号で採用・今号では採用できない大きめの修正が必要・不採用」である。これに、学会によってはAとかBとかのアルファベットを付して通知がされたりする。そして、文句なしで採用の場合と、不採用の場合以外は比較的細かい修正意見が付される。

さて、ここで文句なしで採用の場合はよいのだが、不採用の場合にもコメントがない、ということに大方の不満があるのだろうと思われる。しかし、もう一度先ほどの通知基準を見てほしい。「採用」以外は全て「不採用」には違いがないのである。しかし、不採用の中でも、コメントが付されるものと付されないものがある。これは、端的に言って「コメントで修正可能かどうか」という観点から区別されている。すなわち、コメントなしで不採用になった場合、たいへん申し上げにくいことだが「ここで文書数枚程度のコメントを付したところで修正可能とは思われない」と判断されてしまったのだとご理解いただきたい。そしてそれは、これまで何度も話してきた通り、学部四年間で身に付けるような最低限のスキルから指導し直さなければならないものである、と判断された場合である。

ではその指導をしてくれよ、と思われた方にはもう一度おさらいになるが、そのような指導を学会という場で無償で提供することは、主に大学教員から成る査読委員には、職業倫理上できないのである。査読はあくまで「通すか通さないか」を決める仕事である。教育や指導ではないということをくれぐれも忘れないでいただきたい。

ここで、「学部四年間程度の」というのは、あくまで目安であり、学部に単に四年間いただけではそれらのスキルが十分身に付かない者も多いことは付け加えておかねばならないだろう。だから、査読を経験したことのある者として欲を言うならば、本当は修士課程修了くらいのスキルがほしい。しかし、学部でほんの少しでも耳にしたことがあるのとないのとでは論文の出来は全く違う。本当に違うのである。論文というものの体裁からしてまるで違うのである。

大学で研究している方は、そんな無茶苦茶な論文が投稿されてくるのかといぶかしく思われる向きもあろうが、日本史分野ではこれがけっこうあるのである。しかし本人はそれを「世紀の大発見」と思っておられる場合も多いのでたいへん苦労する。

コメントで修正可能と判断された不採用論文に対しては、査読者はその論文一つ一つに対し、懇切丁寧なコメントを付さねばならない。査読委員が、その論文の具体的にどこがどう採用に至らないと判断したのかを、何頁、何行目のどの記述がどう、というレベルでひじょうに細かく書き込んでいく。そして、それらを編集会議にはかって、査読者の意見を総合した文書を作成し、各投稿者に送付する。この労苦も並大抵のものではない。

他の分野であれば、年一回か二回程度の刊行スケジュールである学術誌も少なくないが、日本史分野では学術誌が多いうえに、月刊もしくは隔月刊というものが大半なのである。その分、毎月一回か二回は編集会議がある。時代によって投稿数にばらつきはあるが、筆者が専門としている近現代史であれば、どの雑誌も共通してほぼ毎月複数の投稿があると言われているし、実際筆者が関わっている学会でもそうである。したがって、その投稿については毎月編集会議に加わるだけではなく、ガチめの査読をしなければならない。ガチめの査読というのは、その論文の参考文献まで辿って一つ一つの叙述の妥当性を確認する作業まで要するということである。

そのうえで、査読コメントを作成する。通常、A4用紙数枚にわたる。これを毎月毎月こなしている。大学教員は、これを前章で述べてきた三つの業務をこなしたうえで、退勤後か土日祝日にやるのである。しかも、ボランティアである。筆者も、査読コメントに不満を抱くことは時折ある。理不尽な意見と思うことも、確かにある。しかし、査読者のこのような労苦を思うと、最終的にはいつも神棚に祀り上げたくなるほどありがたさに打たれて粛々と修正に励むのである。

学術大会の開催

前節で述べてきた仕事に加えて、こちらの方は意外と知られていない。ただ、一般には医療系のドラマなどで「学会発表に行く」というようなシーンがあったりするので、そのイメージをお持ちの方もあるかもしれない。学術大会とは、大きな会場に集まって、研究者が個別に研究成果を口頭発表するものである。たいていは大学を貸し切って、土日か祝日に開催する。

ここで、研究者の卵＝大学院生やポスドク（博士号取得後、正規の職に就いていない研究者）のライフコースについての話をしておきたい。大学院生やポスドクは、研究成果がある程度まとまったら、まず学内で口頭発表をする。そこである程度の指摘を受けてブラッシュアップしたのち、小さな学会（部会）や研究会で一回ないしは複数回の口頭発表を行う。ここで、「小さな学会（部会）」と書いたが、日本史分野ではひじょうに学会数が多いので、全国的に評価の高い学術誌を発行している学会のほかにも、比較的小規模の地方学会や各大学のＯＢ組織として運営されている学会などがある。あるいは、大規模で権威のある学会でも、その下部組織として小さめの「部会」や地方支部などが設けられている場合がある。

学会の全国大会は通常年一回程度だが、その下部組織の「部会」などはもっと頻繁に開催されていることが多い。筆者が委員をしていた日本史研究会という学会では、年一回の全国大会に加え、月一回程度の「例会」、そして月一回〜二回程度の「部会」が開かれていた。例会は通常大学に職のある中堅〜ベテランの研究者が発表するもので、委員側からテーマを設けて開催される、どちらかというと講演に近いものであった。これに対して「部会」は、専ら大学院生が日頃の研究成果を問う口頭発表の場であった。大学院生は、まずはこの場でたくさんの指摘をもらい、それを研究に反映し、何度も原稿をブラッシュアップする。そして、「もうこれで大丈夫」と思えるようになったら初めて学会誌に投稿するのである。

ここで、鋭い読者の方は既にお気づきであろうが、アマチュア歴史家の多くはこのプロセスを経ずにいきなり学術誌に投稿してしまうから、コメントなしの不採用となってしまうのである。あまつさえ指導を仰ごうとしてしまい、拒否されたら怒る。相手が自分に好意があるかどうかを考えずにいきなり告白して玉砕したのに、相手の対応に非があるかのように怒り出すようなものである。このことの何が問題なのかと思った方は、この本を読み進める前に恋愛漫画をざっと数千冊ほどご覧になることをオススメする。

したがって、学術誌に投稿して、ある程度のコメントがほしいという場合には、まずどこでもよいのでまずは学会で発表してみることをオススメする。学会発表の場でたくさんの指摘を受けることで、その指摘をもとに研究をよりブラッシュアップすることができる。そうして初めて、査読者が多大な労力を費やしてコメントを書こうという気持ちになる論文が出来上がるのである。

学会発表は、会員になりさえすればどこでも受け付けてもらえるので、まずはどこかの会員になることをオススメする。ただし、大学や研究機関と全く縁のない業界にいる方には、部会で発表させてもらうまでのハードルもひじょうに高い。これは、たとえ大学に所属していたとしても人によってはアクセスに大きな格差があるのが現状であるから、なおさらであろうと思う。

筆者の出身大学では、通っている学生の大半が下宿生であった。筆者の家は極度の貧困家庭であったため、下宿代を親に出してもらうことができなかったので、片道二時間、往復四時間かけて大学に通っていた。これは大学院に行っても変わらなかった（ちなみに、貧困家庭の筆者がなぜ大学院に行けたのかだが、そのからくりは、学費を奨学金でまかない、生活費と交通費をアルバイトでまかなっていたからである）。そのため、下宿生のように朝から長時間大学の研究室に入り浸るということができなかった。朝五時に起きたとしても、大学に着く頃には一〇時を過ぎている。夜はあまり遅くまで残ることもできない。一八時に大学を出たとしても、家に着く頃には二一時近くになっているからである。しかもアルバイトもしていた。下宿生で長時間研究室にいられる院生たちは、たいてい研究室に私物の本などを置いていて、研究室の一角を自分好みにカスタマイズしていた。しかし、筆者はあまり研究室に居座ることができなかったから、そのようなカスタマイズもできず、ふだんずっと研究室に入り浸っている人たちのホームな空気に疎外感を抱き、研究室はあまり居心地の良い場所ではなかった。したがって、筆者の研究場所は専ら図書館か自宅か電車の中であった。

しかし、学会の部会発表は、たいてい研究室に入り浸っている院生に先輩院生が声をかけるという全く非公式のコネによって決まっていた。関西の大学の院生たちは、たいてい修士課程に進むと早い段階で先輩からこのような形で部会での卒論発表の声かけをされる。そして通常は夏休みまでに最初の学会発表＝卒論発表会を経験するのである。しかし、筆者は先述の通り研究室にはいつもいない民であったので、夏までにこの声かけをされなかった。同期で近現代史を研究していた院生は筆者のほかに女子が二人いたのだが、気づいたら二人はもう夏の卒論発表が決まっているという。ちなみにその二人はいずれも他学部、他大学からの進学者であったので、それだけなおさら、内部生え抜きの自分を除け者にして外部からの進学者が先に学会発表という「栄誉」にありつけているという事実が悔しくてならなかった。

理不尽に思った筆者は、その年の秋に開催された、日本史研究会の全国大会の懇親会の席で、当時他大学の教員となっていた先輩研究者の腰巾着のようになってつきまとい、この不満をぶちまけた。よほど気の毒に感じられたのだろうか、あるいはよほど筆者の愚痴がうっとうしかったのだろうか、先輩はその場にいた部会の運営委員に声をかけてくれ、このかわいそうなボロ雑巾のような若者に手を差し伸べてやってほしいというような類のことを口添えしてくれたように記憶している。紹介された運営委員のお兄さんは、筆者の剣幕に若干引き気味であったが、それでもどうにか受諾してくれた。その結果、筆者の卒論発表は、その学会では異例の一二月の部会でのこととなったのであった。

このように、大学の中にいてさえ、相当のコネとタイミングが揃わなければ部会発表までたどり着くことができないという現状がある。外部にいればなおさらハードルが高いだろう。しかし、筆者のように学会にともかくも参加し、運営委員に声をかけることができれば、そこから口頭発表につながる可能性は大いにある。今は筆者が院生をしていた頃よりも院生が減っているから、どこの学会も発表者を求めて苦労している。経歴によっては多少難しいかもしれないが、事前にその部会に何度も足を運び、運営委員との良好な人間関係を築けば、いつかは出番が回ってくるかもしれない。タイムリミットのある院生とは違い、アマチュアの皆様は時間には比較的余裕があると思われるので、根気よくやってほしい。

学会の運営委員

ここで、学会の運営委員という話が出たので、学会組織の「委員」というものについても若干説明しておこうと思う。学会には大きく分けて二つの仕事があると話した。学術誌の査読や編集に関わる仕事と、学術大会の開催である。このそれぞれの活動において、それぞれの「委員会」が設けられている。先述の通り、学術誌に関わる委員は通常大学教員や学芸員など、研究に関わる職に就いている中堅〜ベテランの研究者である。一方、学術大会の運営に携わる委員は、分野や地域によっても大きくその担い手は変わる。

理系の学会や社会科学系の学会などでは、多くの場合こうした委員もベテランによって担われる。しかし、日本史学で、特に関西の学会では、学術大会の開催・運営は大学院生やポスドクが担っている。定職もない、収入も将来も不安定な立場で、定職を求めて研究成果もあげなければならない若手の研究者が、ボランティアで運営しているのである。

このような学会は、たいてい戦後の右肩上がりの時代に作られた。日本は人口も右肩上がりに増え、社会全体が若く、活気があった。そのような時代に、大学院生が有志で集まり、大学の枠を超えて研究成果を発表し、交流し合う場を作ろうと熱意をみなぎらせて作り上げた自治的な組織である。百歩譲ってその経緯は、わかる。しかし、社会全体が成長している時代に拡大しきった組織を、人口が減り、社会が縮みつつある時代にもずっと変わらない形で維持し続けていくことが妥当であるかどうかは、真剣に議論しなければならないと、個人的には思う。その時期は、既に遅すぎる感もある。今までの担い手たちが、この問題を先送りしすぎたのである。

少々話が脱線してしまった。このような院生により担われている学術大会の運営委員に加え、更にはより庶務(しょむ)的な業務を担う委員もいる。これは、先述の通り文系の学会が専任の事務職員を置けない、あるいは豊富に置けない事情が背景にある。これもまた各大学の院生やポスドクなどが担っている現状がある。学術誌の発送作業なども、こうした庶務的な委員が担っているのだ。ちなみに筆者も経験したことがある。しかし庶務委員としてはきわめてポンコツであった。この経験から、筆者には民間企業の会社員や公務員として働くという進路が完全に閉ざされてしまったと感じた。退路が断たれ、それだけ覚悟を決めて研究にまい進することができたとも言えよう。

このほか、学術誌の組版(くみはん)といった印刷所が担うような仕事も予算の関係で大学教員が担っているところもある。特段隠すようなことでもないので言っておくと、現在筆者が関わっている学会もご他分に漏れずである。

さて、こうした院生やポスドクから成る委員に、学会発表のお願いをする際の注意点を最後に述べておきたい。これは、先に述べた電話や手紙の場合と同様なのだが、二〇代の院生が中心の組織であるから、若い彼らを警戒させるようなことをしていないか、少し慎重になる必要があるということである。若い世代は、初めて会った人からあまりになれなれしく、グイグイ来られると引いてしまう。先に話した、筆者がすごい剣幕で運営委員のお兄さんをドン引きさせた話は、若い方が年上の方を引かせているので例外的な話になるが、このように、「発表したいんです！　発表させてください！」というようなギラギラが前面に出すぎていると、相手はちょっと引いてしまう。

それでも、筆者の場合はよく知った大学の院生であったし、知人の研究者の紹介だったから、その分事前の信用情報が多少はあった。これが、全く知らない、大学にも所属していない、大学で歴史学を研究したこともない人であった場合、事前の信用情報が全くないので、まず「警戒されて当たり前」という前提で当たった方がよい。したがって、このような状態で相手の信頼感を勝ち取るためには、くれぐれもグイグイいかないことである。距離感の詰め方にはことのほか慎重になった方がよい。周囲の院生たちがどのようにしているかよく観察し、そのようにするのが一番よい方法である。「なぜ私が若い人たちのよくわからないカルチャーに従わねばならぬのだ」と思われるかもしれないが、「郷に入れば郷に従え」である。今の学会がそのようになっているのだから、それに従うしかないのである。

さて、ここまでは「歴史」と「歴史学」、すなわちアマチュア歴史家の世界とアカデミズム史学の世界について、順を追って説明してきた。アマチュアで歴史を研究したい、その成果を世に問いたいと思って、自己流で頑張ってきたが思うようにいかなかったという方の抱かれるいくつかの疑問は、ほぼ解消されたのではないかと思う。大学で研究している方にとっても、アマチュアの歴史家がどのような考えを持っているのか、自分たちがどのように見られているのか、多少は伝わったのではないだろうか。

　ここまでのところで、「よし、まずはどこかの学会に入って、研究発表を少しずつ聞きながら勉強して、委員の院生たちと信頼関係を築くようにしよう！」と思われた方は、ぜひそのようにしていただきたい。もちろん、それだけでもかなりハードルが高く、困難な道なので、可能であれば大学に入り直すか、研究生・科目等履修生などの制度を利用して大学で授業を受ける身分を得るかのいずれかの道をオススメする。

　大学教員が大学で伝えていることは研究成果や学界の潮流、研究手法などに止まらない。折に触れて、また個人個人に最適化した助言を与えることは大学ならではであるし、大学には教員からの指導以上に多くの教育資源がある。まずは一般の公共図書館には置かれていないような学術書や学術雑誌を豊富に取りそろえた図書館である。そしてそうした書籍や論文を利用しながら、授業の外で議論し合える仲間の存在である。こうした資源が惜しみなく使えるのは大学の四年間だけ（大学院生はそれ以上だが）である。

　しかし、論文を書くためには学内の蔵書だけでは十分でないことも多い。そのような場合、他大学や学外の史料所蔵機関、あるいは場合によっては史料所蔵者の個人宅にお邪魔することもある。そのようなときに、大学の名前と学生・院生という肩書がたいへん重要になってくる。個人宅であればなおさらだが、大学や所蔵機関でも同様である。もちろん、公共機関は肩書だけで史料の公開を制限するということは基本的には、ない。しかし、貴重な史料を閲覧させる相手が、ある程度史料の保存に理解があり、研究や調査の目的で史料を適切に利用してくれる人だという担保がほしい。そのため、史料閲覧の際には所属先を記入させたり、場合によっては出身大学であるかどうか、紹介状があるかどうかといった条件を付す場合もある。大学を通じてしか閲覧できない場合もある。全ては、貴重な史料を守るためなのである。

学生・院生の身分というのは、こういうときに大いに役に立つ。その身分や肩書は、私は大学で数年間、講義や論文読解、史料読解などの授業を通じて体系的に歴史学のスキルや知識を身に付けています、という証明になるのだ。

こうした有形・無形の特典を手に入れるためには、個人的にはやはり大学に来ていただくのが一番だと思う。

しかし、読者の中には、「そこまでのことはしたくない」と思われる方も少なくはないだろう。学会に入り浸って委員との信頼関係を築くことも難しい、あるいはこれまでのキャリアを考えると若者たちに頭を下げるなんてプライドが許さない、という人もいるだろう。

大学に入り直すのも嫌だ、高い学費も出したくない、という人もいるだろう。しかし成果だけは世に問いたい、手っ取り早く有名になりたい、承認欲求を満たしたい、という気持ちがある場合、さてどうすればよいのであろうか。このことについて、第二部でタイプ別にみていきたい。

第二部

タイプ別・アマチュア歴史家のススメ

その誇りゆえに、その膨張欲ゆえに、この蒐集家は、自分の数々のコレクションともども万人の目の前に姿を現わしたいばかりに、それらの所蔵物を複製作品のかたちにして市場（しじょう）にもってゆき、……こうしたやり方で長者となるに至るのである。……それはまた、偉大な蒐集家の露出症でもあるのだ。

ヴァルター・ベンヤミン「エードゥアルト・フックスー蒐集家と歴史家」

ここからは、より実践的に、学会にも入り浸らず、大学にも行かずに研究成果を世に問い、最も手っ取り早く承認欲求を満たすための方法を考えていきたい。とはいえ、世間からあまりちやほやされたことのない筆者は語れる経験がない。そこで、これまでに存在した多様なアマチュア歴史家の存在形態を総合的に分析し、タイプ別に分けてそのメリット・デメリット、向き不向きを考察したので、ご自身のタイプを分析したうえで、どの道が最も向いていそうかを考えながら読んでほしい。あるいは、もう既に大学で研究をしているという読者の皆様には、奥深いアマチュア歴史家の世界を見聞するつもりでページをめくっていただきたい。

第一章　自費作家型

ここからは、レーダーチャート図を使ってそれぞれのタイプの特徴を確認する。タイプごとに、「資金力」「人脈」「情報収集能力」「家族の協力」「年齢」「時間的余裕」「鈍感力」

「研究発表時のインパクト」「アカデミズム史学との友好度」の指標ごとに五段階で評価し、レーダーチャートを作成した。これらは、いずれもアマチュアで歴史家を続けていくうえで欠かせないと筆者が判断した能力あるいは特性、その効果である。重要なのは、これは何らかの本格的な調査を経たうえで作成したものではなく、あくまで筆者の限られた経験に基づく印象論にすぎないということはご理解いただきたい。一人の人間の経験に基づく印象論のサンプルとして、あまり目くじらを立てずに緩い気持ちでご参照いただきたい。

一つずつ補足していく。「資金力」「人脈」「情報収集能力」「時間的余裕」とはその名の通りである。この数値が高いほどその力が必要であることを意味する。

「家族の協力」は、その数値が高いほど、研究していくにあたって家族の協力が必要であることを示す。

「年齢」は、求められる数値ではなく現時点での傾向を示す。この数値が高ければ高いほど、そのタイプのアマチュア歴史家の年齢層が高めであることを意味する。

「鈍感力」であるが、これはそのタイプのアマチュア歴史家が内外から受ける批判に対するストレス耐性とも言いかえることができる。その数値が高いほど、内外から受ける批判を受け流す、あるいは跳ね返す高い能力が必要であることを意味する。

「研究発表時のインパクト」は、数値が高いほど承認欲求を満たすというこのセクションで目指す目標に近いことを示す。

最後に、「アカデミズム史学との友好度」だが、読んで字のごとく数値が高いほどアカデミズム史学との友好度が高いことを意味する。

豊富な資金が必要

それでは、まずは「自費作家型」のアマチュア歴史家についてみていきたい。

このタイプは、自らの研究成果を自費出版することで世に問うことを専らとしているアマチュア歴史家である。本書で扱う全てのアマチュア歴史家の中では最も歴史が古く、伝統的なタイプである。かつては、自費出版を受け付けている出版社・印刷会社は地域に一軒あるかないかという程度であった。インターネットの発達していなかった時代には、そのような出版社や印刷会社を探

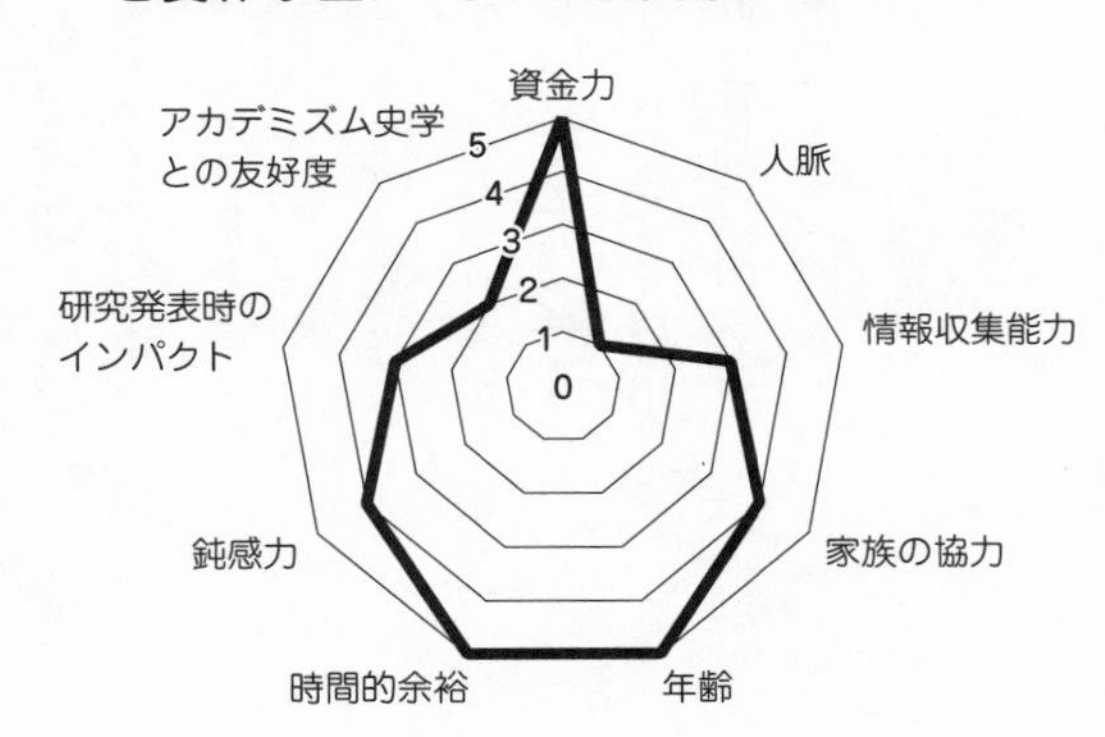

すことは至難であった。

しかし、今やインターネットを通じて全国の様々な自費出版専門の出版社を探すことができるようになった。現在のところ、概ね一〇〇万円から数百万円の負担で出版が可能であるようだが、ネットのおかげで全国の出版社を相見積もりにかけることが可能になり、もっと安価で出版できるところも探せるようになった。

しかし、自費出版はあくまで自費出版である。承認欲求を満たすという目的からすれば、どこまでいっても商業出版と肩を並べることはできないコンプレックスからは逃れられない。

ところが良い世の中になったものである。現在では、出版社によってはさらに一〇〇万円程度積むことで、一般書店にも流通させてもらえるオプションをつけられるところも出てきた。こうして、一般書店に商業出版物とともに背表紙を並べ、それを写真に撮ってSNSに公開し、売れっ子作家のような気持ちを味わうことも可能である。さらに、今やAmazonで電子書籍として個人が出版することも可能な時代なので、Amazonの書影をスクショでもして、これまた売れっ子作家のような気持ちを味わうこともできるようになった。これならさらに安い費用負担で可能である。

ただしこれは、一冊について数百万円のお金をポンポン出せるほどの資金力のある人でなければ難しい。何冊も出版しようとなるとさらに費用はかさむ。したがって、このタイプのアマチュア歴史家に何よりも必要なのは、資金力である。

それでも、戦後日本が右肩上がりで成長する時代に数十年間企業戦士として勤続してきた方々ならば、これしきの費用は痛くも痒くもないだろう。実家が太く、家の資産があるようならなおさら容易い話であろう。

もちろん、たとえ家に資産があったとしても、家族の協力がなければ十分な成果はあげられない。お財布を妻や夫が握っている場合、自費出版に際して説得することが必ずしも容易であるとは限らない。出版だけではない。日頃から仕事の余暇に、あるいは退職後の場合は時間のほとんど全てを研究に費やすことに理解を得られる家庭環境でなければならない。将来的にこのタイプのアマチュア歴史家になりたいと思っている若者は、今のうちから自身の研究に理解のあるパートナーを見つけておくか、既婚者の場合はパートナーを今のうちに懐柔しておく必要がある。家族の協力は資金力に次いでこのタイプにとって重要な要素である。

時間も無限に必要

このタイプのアマチュア歴史家の年齢は比較的高めである傾向があると思われるが、それはこのタイプの研究に要する資金もさることながら、それに費やされる時間と密接な関係がある。一般に、歴史学の分野では大学に所属している研究者でも、一年に一本論文が書ければよい方であるとされている。それほどまでに、歴史学の研究には時間がかかる。先行研究を読んで、それもたくさん読んで、史料も探して、それもたくさんたくさん読んで、論を組み立て、何度も何度も、長い時間頭を捻(ひね)らなければならない。実家の太い学生や院生、研究を仕事として認められている大学教員や研究員であればともかく、全く歴史学とは無関係の職場に勤めていながらその時間を捻出するのは容易いことではない。

もちろん、学生や院生、プロの研究者ほどのレベルの論文を書くつもりがないならここまでの労力は不要かもしれないが、それでも自分で納得のいく論文を書くためにはそれなりの文献・史料調査が必要である。

一般的な企業にお勤めの方ならば毎日出勤前か退勤後の数時間と週末だけが従事可能な時間であると考えられるが、退勤前後は図書館が閉まっているので、図書館に行くには週末しか使えない。大学に所属していれば職場の大学図書館が使えるが、そうでない場合は国立国会図書館などの大きめの図書館を週末のたびに訪れるしかない。しかし、お住まいの地域によってはそのような大きな図書館がない場合もある。

もちろん、最近は国立国会図書館デジタルコレクションが充実し、刊行後一定の年数が経った文献はどんどん公開されているから、かつてほどのハードルはなくなったが、それでもどうしても大きめの図書館や大学図書館に行くしか閲覧の方法がないというものもある。

したがって、このタイプのアマチュア歴史家には、資金と時間に余裕のある退職後の方が最も向いていると考えられる。実際、現在自費出版で歴史書を発表しているアマチュア歴史家の多くは退職後の方であるように思われる。

「郷土史家」という選択も

これに加え、今までの説明からは、やはり東京や大きな図書館のある地域に住んでいる人が有利になるのね、と思われるかもしれないが、地方でも決して不可能ではないということも付け加えておきたい。というのも、地方にはその地方ごとに文書館や資料館、郷土博物館などがあり、その地域ならではの史料が保存されているからである。その史料の中には、これまで大学の研究者たちが利用していないようなものもまだまだたくさんあり、それらを使って着実な研究を積み上げる歴史家の方も少なくないからである。いわゆる「郷土史家」と呼ばれる人たちである。

筆者も、これまでこのような郷土史家の方々の研究成果に何度も助けられた経験がある。郷土史家の研究成果には、その地域に精通した方ならではの土地勘に基づいた痒い所に手が届くような精緻な研究がある。他地域からある地域の研究をしようとした場合、最初にこうした郷土史家の研究成果を探すと良い導きになることが多い。

こうした郷土史家を目指すのであれば、よりアカデミックな活動も併行しなければならない。地方によっては郷土史に特化した学術誌があり、そこにはこうした郷土史家の研究成果が収められている。郷土史家を目指す方は、まずはこうした地方ごとの学術誌に投稿し、そこで郷土史家との人脈を築くことで、その地方史学界の中で一定の地位を占めることができるだろう。

また、このようなネットワークを築くことで、その地方の大学教員との人脈も築かれる。郷土史家の方はアカデミズム史学の研究者に理解のある方が多いように思われ、何か大規模なプロジェクトを起こすときに、蔭になり日向になり支えてくださる方が多い。具体的には、史料の燻蒸や撮影、翻刻や目録整理などの仕事で、多くの院生バイトを組織できないような地方の大学などでは、こうした郷土史家の方々にお手伝いいただくことがある。したがって、われわれアカデミズム史学の側も、郷土史家の方々と良好な関係を築いていきたいと思っている。

もう一つ細分的な話をすると、自分の家の先祖のことを知るために地域の資料館などに足しげく通い詰めている歴史家の方もいる。このような方は、自分の名誉というよりも、先祖に対する何か使命感のようなものに突き動かされている場合が多いと考えられる。したがって、資料館の職員や学芸員、大学の研究者の意見は誠実に吸収してくださるように思われる。

アカデミズム史学への敵意

このように、自費作家型のアマチュア歴史家の中にもいくつかのタイプがあり、決して雑に一般化できるようなものではない。しかし、郷土史家でも自分の先祖探究でもない場合の自費作家型アマチュア歴史家の中には、大学教員に対する敵意や不満を抱かれる方が少なくないようにも思われる。こうした不満を抱かれた自費作家型アマチュア歴史家の中から、自著を大学教員に送ったり学会に訴えたりする方が多く輩出されることも不思議ではない。まがりなりにも単著を一冊はものした人物である。それなりの労力と時間が費やされているのであり、それなりの自負もあるだろう。そうした自負が、自身の研究を否定する大学や学会への敵視につながるのだと思われる。

しかし、学会や大学教員からの評価というのは、アカデミズム史学の世界の指標である。自費作家型アマチュア歴史家の世界はアカデミズム史学とは異なる指標が支配する世界である。自費作家型アマチュア歴史家は、書籍の売り上げがあればよいのである。あるいは、そちらが低調でも、今は高齢の歴史家であってもたいていブログやnoteを運営していたりする。ブログやnoteで高いインプレッションを得ることが一つの評価基準になる世界である。したがって、このタイプのアマチュア歴史家には、「大学や学会の評価は気にしない、俺にはインプレッションさえあればよい」という強いメンタルが求められる。

自費作家型アマチュア歴史家の世界は、このように強い気持ちでいられる人にとってはこの上なく居心地の良い世界であるが、あくまで学界での評価が重要とどこかで考えている人にとっては決して愉快な状況ではないかもしれない。したがって、いきおいブログやnoteに大学や学会の悪口を書き込んでしまいがちである。せっかく郷土史家や自身の家の歴史を調べるアマチュア歴史家が持ち上げた「アカデミズム史学との友好度」指標を、こうした人たちが押し下げている結果、この指標の数値は「2」に止まってしまっている。

ちなみに、「自費出版」という意味では、後に述べる同人誌即売会などを活用して活動する歴史家とも類似するのだが、これを自費作家型アマチュア歴史家と区別したのは、年齢層もさることながら、このアカデミズム史学に対する感情や距離感の差異を根拠としている。同人誌即売会などを活用するタイプのニュータイプのアマチュア歴史家は、伝統的な自費作家型アマチュア歴史家と異なり、学界の評価を必ずしも絶対視していない。これは、学界の評価基準と比較して、自らの位置する世界の評価基準の方が優れていると価値づける態度とも異なる。むしろそのような優劣感覚自体も相対化してしまうのである。したがって、学界での業績は「普通にすごい」と認め、自分たちの活動はあくまでアマチュア、オタク、と割り切っている。そしてそこには全く劣等感や悲壮感などなく、恬然(てんぜん)としている。

このタイプについては後ほど詳しく見ていくこととして、次にもう一つ大きな存在感を放っているタイプのアマチュア歴史家について見ていきたい。

第二章 「発見」重視型

このタイプは、図をご覧になっていただくとわかるように、ほとんどの指標において傑出したたいへん戦闘力の高いアマチュア歴史家である。先ほど見てきた自費作家型アマチュア歴史家は、逆吹き出し形の独特の形状をしていたが、このタイプのアマチュア歴史家についてはパックマン形をしており、その形状の最大の違いを形成するのが、資金力の指標である。このタイプのアマチュア歴史家は、結果的に資産家である場合が多いのであるが、研究自体にはそれほど資金を要しない。このタイプのアマチュア歴史家は、必ずしも論文を発表する必要はないからである。また、自費作家型アマチュア歴史家のように多大なる労力を費やして本を書く必要もない。

「発見」重視型アマチュア歴史家のパラメータ

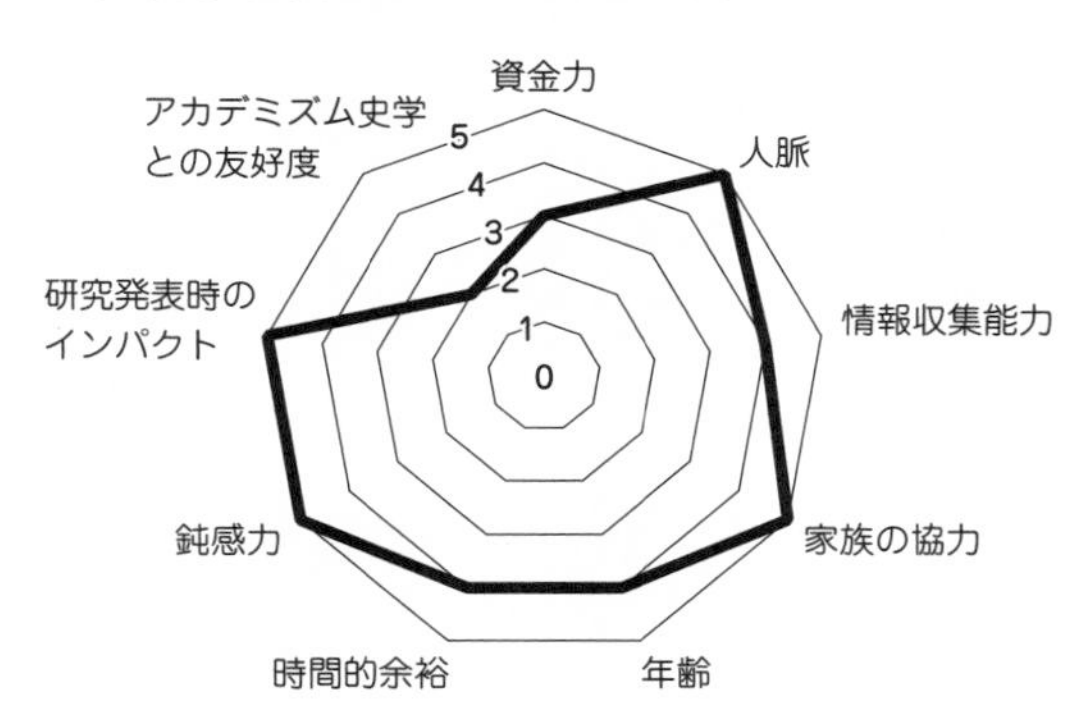

このタイプのアマチュア歴史家になれば、史料調査の過程で重要な「発見」をし、それをメディアに報道してもらうことで世間の注目と名誉を獲得することができる。この「発見」とは、たいていの場合一般にも広く知られている教科書レベル、あるいはドラマなどでよく知られた出来事や人物に関する史料について言われる。あるいは、その地域では広く知られている人物などに関する史料であれば地方紙レベルでは記事になりやすい。

いうなれば、このタイプのアマチュア歴史家とアカデミズム史学との関係は、アマチュアの化石発掘家と古生物学者との関係に近い。大学教員は大規模な外国での発掘調査やプロジェクトチームを活用した内外の研究などで大忙しで、足元の地層を地道に発掘することができない場合も多い。一方で、アマチュアの化石ハンターは、大がかりな研究をしたり、論文を書いたりすることはできないが、地元の地層から化石を発見して、大学教員に見てもらい、それが「世紀の大発見」になることもある。場合によっては発見者の名前が学名になったりすることもあるので、発見者にとっては大いなる名誉になる。

このような関係は、ほかにもアマチュアの昆虫ハンターと生物学者、アマチュアの植物ハンターと植物学者、アマチュアの遺物ハンターと考古学者との関係など様々なところで見出しうる。このように、アマチュアでも地道に身近な場所を探索することで「発見」ができる分野においては広く認めうる関係であると言える。このような関係性が成り立つとき、アマチュア歴史家とアカデミズム史学の関係はきわめて良好である。

このタイプのアマチュア歴史家がいてくれるおかげで、アカデミズム史学の研究者は様々な業務や大型の研究に忙殺されて見る余裕のなかった史料の存在を知ることができる。その史料から、新たな研究を展開することもできる。その意味において、このタイプのアマチュア歴史家もまたアカデミズム史学を支えてくれる重要な存在なのである。

「発見」の価値

アカデミズム史学の研究者は、一本の論文で数十点から数百点もの新出史料を使用している。筆者が専門とする日本近現代史では、註(ちゅう)が二〇〇点を超えることは当たり前になっており、そのうち大半が新出史料という場合もある。しかし、アカデミズム史学の研究者はそれをことさら「新発見」とは言わない。なぜか。なぜならば、アカデミズム史学の世界では、新史料を「発見」することは大前提のうえで戦われている世界だからである。

学術誌では、「論文」「書評」などのほかに「史料紹介」という原稿種別を設けているところもある。しかし、その場合の「史料紹介」とは通常一点だけではなく、まとまった量の史料が「発見」されたときに、その史料群の性格を解説したり、重要史料を翻刻したりして、学界の利用を促進するために発表するものである。

この原稿種別「史料紹介」は、残念なことに、通常「論文」や「研究ノート」よりも下位に置かれることが多い。下位に置かれるというのは、端的に言って就職や昇給、昇進の際の判断基準としてはより弱いということである。それだけ労力がかかっていても、「論文」や「研究ノート」のように、それを用いて何らかの論を示していないものは、より低く評価されるのである。アカデミズム史学の世界では、史料を「発見」するだけでは十分に評価されない。

もちろん、既出の史料だけで戦う分野もあるが、それはそれなりの「新しい」解釈が示されていたり、「新しい」方法が示されていたりしなければならない。何らかの「新発見」が示されていることは論文や学会発表においては最低限の条件なのである。

アカデミズム史学の研究者は、論証の中で新たに用いた史料をその都度「新発見」としてメディアに掲載していたらキリがないし、そもそも学会で発表されるような史料はあまりに玄人向けであり、一般の方が目にする新聞やテレビに出しても「何ソレ」状態でほとんど話題にならないであろうから、よほどの発見でない限りメディアは動かない。

もちろん、アカデミズム史学の研究者が史料の「発見」をしてメディアに報道されることもある。しかしその場合、たいてい量の観念が重要になってくる。アカデミズム史学の研究者は、通常民家の蔵や寺院・神社などで、長持や木箱などに入った状態でまとまって大量に残されているような「史料群」を「発見」したときに、科研費などの外部資金をとって本格的に調査する。そしてある程度調査が進んだ段階で、その成果を学術誌の中で「公表」する。あるいは、「発見」の段階で大学や機関のプレスリリースをする。しかし、メディア向けに発表するのは、あくまで「まとまった量の」史料が見つかったときである。このように見ると、メディア掲載という観点においては、大学教員の「発見」に求められるハードルはきわめて高いのである。

それでも、信長や龍馬といった、世間一般にウケるテーマの史料を新たに「発見」した場合は、メディアに取り上げてもらいやすい。しかし、そもそもアカデミズム史学は、メディアに出演していることが評価対象になる業界ではない。むしろ、メディア出演がゼロでも、原則的にはしっかりとした質の高い論文があれば高く評価され、就職や昇進につながる世界である。[*1]

したがって、アカデミズム史学の研究者は、たいていそのような世間ウケする史料を必死で探すことに労力を費やさない。「発見」→メディア掲載という道よりも、就職や科研費獲得につながりうる実績=論文執筆の方に注力する。その結果、「論」のためにショートカットでたどり着けるような史料調査をしがちである（もちろん、このことにも問題がないわけではないが、ここではその問題はひとまず措く）。その調査の過程で偶然「発見」に至ることはあるが、その「発見」はあくまでキャリアの中では付加価値にすぎない。世間的には注目されるが、学界ではあまり価値を持たない。

第一部で述べてきたように、アカデミズム史学は非常に競争の激しい過酷な世界である。

＊1　ここで「原則的には」という表現を用いたのは、アカデミズムの世界でも最近は必ずしもメディア出演が軽視されるわけではなくなっているからである。というのも、特に毎年募集定員ギリギリのところで戦っている地方のあまり知名度の高くない私大などでは、学生を呼び込むために、研究ができる教員よりもメディアに露出の多い教員が好まれるところがあるからである。したがって、最近の中堅～若手研究者は、アカポスへの就職のためには自らの研究をしっかりと行うことに加えて、メディア出演なども含めたセルフ・プロデュース力も求められるような、更なる修羅の世界になってきている。筆者なども同世代の研究者を見ていて、皆何やらやたらと出たがりだなあと思うことがあるが、結局のところ筆者もどうあがいても時代の子、五〇代以上や二〇代以下の研究者などからは大なり小なりその同類項と見なされているのであろう。

院生やポスドクは、パーマネントの職（任期のない大学教員のポスト）に就くために、その分野で好まれるテーマを選択して研究しなければならない。その分野で好まれるというのは、かんたんに言えば学界で評価されやすいテーマであり、学術誌に掲載されやすいテーマである。学術誌掲載にも、受験テクニックのような独特のテクニックが要る。どのように重要な発見に思われても、この学術誌に掲載されるという観点からなかなか成果の出しにくいテーマというものが、確かにある。どういうものがそうなのかということは改めて考えてみたいことではあるが、ともかく、最初は就職のために、確実に学術誌に掲載されそうなことを、どんなに小さなことでも着実に積んでいく。

ちなみに筆者の選択したテーマは、やりようによってはひじょうに学界向けでもあったが、筆者の着眼点がマニアックすぎてなかなか最初の掲載に至るまでに難儀（なんぎ）をした。今でも、学術誌には向かないと判断したテーマや、図表の分量が多くなりそうなテーマについては、比較的自由度の高い学内雑誌などに投稿したり、単行本においてやらせてもらったりしている。

また、既に職を得た大学教員であっても、学内での教員評価という目にさらされている。毎年コンスタントに研究成果を発表していたり、科研費をコンスタントに獲得したりしていなければ、教員評価で低い点がつけられてしまい、その結果は給与に反映されてしまう。したがって、教員はやはり学界で評価されやすい、科研費をとりやすいテーマを選ぶことになる。

アカデミズム史学はなぜ一般受けする史料を発掘しないのか

その観点でいくと、一般に評価される事件や人物についての研究は、アカデミズム史学の人間にとってはきわめて難しい。主に二つの理由があるが、一つは「やり尽くされている」という場合である。中学の教科書にも載り、ドラマなどでも扱われるような有名人物については研究がやり尽くされていて、もはやほとんど吸い殻のような状態になっていることがある。このような場合、よほど重要な新出史料が発見されない限り、なかなか新しい論を立てることはできない。

もう一つの理由であるが、逆に「研究がほとんどなされていない」という場合もある。学界で評価される研究というのは、自らの研究をしっかりとそれまでの研究史の流れの中に位置づけて、その研究をすることでこれまでの研究をどう見直すことができて、今後どういう新たな展開につながるか、ということが整理されて示されている研究である。われわれが書く科研費の申請書もこのようなことを書くように求められている。したがって、これまでの研究がほとんどないテーマや人物の場合、その研究を研究史の流れの中に位置づけることが非常に困難なのである。振り返っても道がなければ、前を向いても先が見えないのである。

それでも、どうにかこうにか知恵を絞って、そのテーマを研究することの研究史上の意義をひねり出すことは不可能ではない。筆者はこういうことをやることにかけては一日の長があるとの自負を持っているのだが、それでも筆者が選んだ人物は龍馬や新撰組に比べればはるかにマイナーな人物だったので、未だかつて世間の注目を浴びたことはない。

したがって、一般受けするテーマを選んで、アカデミズム史学の世界で残っていこうとするのは並大抵のことではないのである。指導教員にも、必ず「最初はもっと学術誌に載りやすいテーマで」とか「科研費のとりやすいテーマで」と矯正される。

筆者なども、品川弥二郎（しながわやじろう）のトップオタになることを夢見ていたが、筆者が目指したのはあくまで研究もしっかりできたうえでのトップオタであった。アカデミズム史学の世界では、単なる人物研究はあまり評価が高くない。筆者はいつかこの世界で人物研究としていろいろな挑戦をしてみたいと考えていたが、それをするためにはまずこの世界である程度認められる業績を残さなければならなかった。したがって、弥二郎を組み込みつつもそれを前面に押し出さず、学界で評価されるテーマに寄せるようたいへんな苦労をした。ここ ろみに筆者の論文を researchmap や CiNii などで検索してみてほしい。標題ではそんな気配がまるでないのに、いざ本文を読んでみると愉快な弥二郎がチラチラ顔を出してくるだろう。どれほど巧みに弥二郎を擬態させるか、実はここに筆者の一方ならぬ苦心があったのだが、それはこの際どうでもよいだろう。

このような苦労から比較的自由になれるのが、この「発見」重視型アマチュア歴史家の最大のメリットである。論文を書かなくてもよいので、社会人でも余暇の時間をフルに史料探索のみに費やすことができる。退職後であればなお時間の余裕がある。主婦も子どもの年齢等によっては比較的時間の工面がしやすい。

「メディアミックス型」という亜種

さて、このようなアマチュア歴史家を目指して日々地域の史料館に通っているとしよう。そして、どうにか重要そうな史料を見つけたとしよう。多くの「発見」重視型アマチュア歴史家にとっては、この時点で十分と考える。しかし、中にはそれだけでは満足できない、その「発見」をメディアで大々的に取り上げてもらって有名になりたい、という向きもあるだろう。実は、この「発見」重視型アマチュア歴史家には「メディアミックス型」という亜種も存在する。

ふつう、一般の人間がどれだけ「発見」をしたとしても、それがメディアに取り上げられるまでにはもう一段階大きなハードルがある。たいていの人はメディアにコネクションがないからである。したがって、このタイプに絶対的に必要になってくるのは、人脈である。とりわけ、メディア露出が多く、メディア関係者とのコネクションを豊富に持っている大学教員の知り合いが必要である。そのためには、少なくとも学部までは歴史学を専攻していると強い。元指導教員に相談すれば、もしそれが真に貴重な発見なのであれば、「それはすごい発見だ！　さっそく○○新聞に取り上げてもらおう！」となる可能性が高いからである。ただし、たまたま入学した大学の指導教員がメディアにあまり露出しない、あるいはそのようなことを好まない大学教員であった場合は、その指導教員はあまり使えない。

こうして、専門家のお墨(すみ)付きを得て、メディアでも「第一発見者」として取り上げられた。このタイプのアマチュア歴史家の目標は達成された……というのが「ふつうの」説明である。実はここから更に、その名声を永続化する方法がある。ここからが本番である。

　ここまでの説明であれば、貴方は単に「第一発見者」である。生物学などであれば発見者の名前が学名に冠（かん）せられることもあろうが、歴史学では史料を発見したからといって、貴方の名前が永遠に刻まれるわけではない。その「発見」によって、有名人にならなければならないのである。そのためには、「発見」はスタートにすぎない。

　ここで、貴方がつなぎ止めていなければならないのは、最初の「発見」の際にお墨付きを与えてくれた指導教員と、その際取り上げてくれたメディアである。彼らとの関係を維持しながら、「アマチュア専門家」としての地位を確立し、メディア露出を増やす必要があるのである。

　指導教員が運よくメディアにたくさん露出する研究者であった場合でも、教え子が学術的に見て正攻法ではない方法で世間の注目を浴びることに否定的であったりする場合には、やはりその教員も使えなくなる。したがって、「発見」重視、かつメディアミックス型として名をはせているアマチュア歴史家は、たまたまメディア露出の多い指導教員のもとにつくことができ、かつその教員が学術的な世界ではなくメディアのみを使って「専門家」として活動していくことを積極的に後押ししてくれる教員であった場合にのみ可能な、非常に幸運なアマチュア歴史家なのだということを理解してほしい。

モデルケース

ここで、今「指導教員が」という話をしたので、大学で歴史学を専攻していない私には無理なのかと落胆された方もいらっしゃるだろう。安心してほしい。この本では可能な限り、そうした方々が「発見」重視型、かつメディアミックス型のアマチュア歴史家として有名人になれる方法を考えていきたい。

いくつかのモデルケースを考えてみよう。たとえば、何かのきっかけで大学教員の知人を得て、その教員と非常に昵懇（じっこん）の仲になり、そのようなアマチュア歴史家としての活動を後押ししてくれる場合などが考えうる。しかし、第一部でも何度か触れたように、アカデミズム史学の人間は往々にしてその外部の人間に事前の信用情報がないと、警戒する場合も多いので、指導教員と教え子としてお互いによく知った間柄の研究者がいるかいないかで、実際の活動開始までのハードルの高さはかなり変わってくることはご理解いただきたい。

そのような指導教員がいない、あるいは大学で歴史学を専攻していなかった者がこのようなアマチュア歴史家を目指す場合、各界の名士が集うサロンのような場に入り浸ることが捷径かもしれない。企業に長くお勤めの方であれば、ご自身の勤めている会社の業界で業績を上げることで、政財界の有力者が集うイベントや会食などに顔を出すことができるかもしれない。歴史学者はたいてい金と権力がないので、そのような場には基本的にいないのだが、メディア露出の多い一部の歴史学者はなぜだかそのような場にも顔を出すことがある。地域に特化した研究をしている大学教員などは、自治体や地元の商工業界などの集まりにも呼ばれて行くことも多いようである。そういった場に出向いて、あまり金を持ってなさそうな人を見つけよう。歴史学者である可能性が高い。まずは歴史学者らしき人に手当たり次第に声をかけて仲良くなるのが第一歩である。専業主婦などであって、企業の伝手がない方などは、夫の付き添いでそのような場に参加すればよい。「〇〇夫人」という肩書は非常に有効である。

次に、そうして仲良くなった歴史学者に、とにかくアピールすることである。先ほど、学界の若手研究者はあまりグイグイ来られると引く、という話をしたが、年配の方はこの限りではない。また、メディアに露出が多く、各界の名士の集まる場に顔を出すような研究者も例外である。この世界は、アカデミズム史学とは異なる力学が支配する世界である。

いかにグイグイいくかがカギを握っている。

ただし、このことは、アカデミズム史学の大部分での評価と裏腹になっていることをしっかりと自覚しなければならない。グイグイでのし上がることを選んでしまったならば、もはやグイグイに引いてしまう人が多いアカデミズム史学の道にはなかなか戻れない。それでもよい、アカデミズム史学の居場所など私には必要ない、という強い気持ちがある方にだけ務まる世界である。

さて、次に、例のサロンなどで「無類の歴史好き」であることを例の歴史学者に印象付けたら、何度かその歴史学者と会って昵懇な関係になることである。そうすれば、いつしか、「ああ、そういえば今度、○○という地域で史蹟ウォーキングイベントをするのだが、君も一緒にどうかね」とかなんとかお誘いを受けるだろう。そうして何度か参加しているうちに、そのイベントの秘書的なことも任されるようになるだろう。ゆくゆくはテレビ出演などにも同行させてもらい、メディア関係者にも紹介されることがあるだろう。この人脈は何が何でも大事にしておかねばならない。

そうしてその歴史学者との信頼関係を築くと同時に、自身は独自に史料調査を進めておく必要がある。史料は、ひじょうに細かい玄人好みのものではいけない。一般受けするような、せめて大河ドラマのテーマとなりうる事件やそこでの主要キャラクターになるような歴史上の人物に関する史料を徹底的に調べ尽くすのである。

しかし、くずし字が読めない、という不安がある場合はどうするか。問題ない。たいていの史料館などでは、市民からの質問を無下に断ることはできないものである。したがって、学芸員や職員の方に質問して、「ここの読み方を教えていただけますか？」と素直に聞けばよいのだ。

それでもどうしても全ての読み方を教えてもらえなかった場合は、ここで例の昵懇の歴史学者を召喚すればよいのである。とりあえず史料を複写してしまって、後にまた例の歴史学者と会う機会に読んでもらうのである。歴史学者は人から知識を求められると快感を抱く者も多いので、愉快な雰囲気さえあれば簡単に教えてくれるだろう。

そうして何度も何度も史料調査、歴史学者との会食を繰り返すうちに、これまでの研究で誰も使っていなかった史料を見つけることもあるだろう。そこでまた例の昵懇の歴史学者を召喚するのである。彼はメディアに伝手がある。その伝手を使って、「一大発見」と宣伝してもらうのである。メディアはあまりファクトチェックをしなくなっているし、大学の教員であろうがアマチュアであろうがそれほど肩書にはこだわらない人が多いので、メディアに影響力の強い大学教員の推薦であれば、容易に取り上げてくれるだろう。そしてその大学教員にお願いして、メディア掲載の際に一言二言コメントを入れてもらえれば、自らの「発見」の権威づけにもなる。貴方はそこに至るまでに読み、着想を与えてくれた研究書や論文があろうとも、その研究には必ずしも触れる必要はない。誰もそんなことには興味がないからである。

一見して、こんなに楽な方法はないと思われた方もいらっしゃるのではないか。なにせ、論文は書かなくてよい、くずし字も読めなくてよいのだから。しかし、そこに至るまでに相当の年月を要するということはくれぐれも注意していただきたいことである。よい史料に出合えるかどうかも運に支配される。そもそも、自身や夫が各界の名士のサロンに出入りできるようになるまでに、まず相当の年月がかかっている。そこに来て、そのサロンに大学教員がいるとは限らない。この点でも、歴史学者の指導教員がいるとやや有利ではある。

アカデミズム史学との訣別

このような道を選んでしまった以上、もはや貴方は先に述べたような化石ハンターと古生物学者、昆虫ハンターと生物学者のような蜜月の関係をアカデミズム史学と築くことは諦めなければならない。このような良好な関係性が築かれるのは、あくまで「発見」重視型アマチュア歴史家がアカデミズム史学と友好的な場合である。

たしかに、先ほどから何度も触れているように、このような歴史家の活動を支えるのはメディア露出の多い指導教員、もしくはたまたまあるきっかけで知り合うことのできたメディア露出の多い大学教員である。彼らの協力を仰いでいるという点において、このタイプのアマチュア歴史家は一見アカデミズム史学に友好的であるように見える。しかし、その指導教員や知人の大学教員以外のあらゆるアカデミズム史学の研究者への敬意を欠いてメディア露出だけを最優先した場合、その活動は孤立的になるリスクもある。

しかし、そんなことは蚊に刺されるほどにもダメージを与えないという方にとっては、この道は目指してみるに値するかもしれない。「発見」重視型でかつメディアミックス型のアマチュア歴史家の世界は、アカデミズム史学とは全く異なる理屈が支配する世界だからである。このタイプのアマチュア歴史家にとって重要なのは、専ら世間の評価である。世間の歴史学やアカデミズム史学に詳しくない人たちは、メディア露出の多い人たちこそが「すごい人」である。学界でどれほど評価されていようが、どれほど論文数があろうが、メディアに全く出てこない研究者は、いないのと同じである。このような世間の見方を最大限に活用するのが、「発見」重視型、かつメディアミックス型のアマチュア歴史家なのである。

強靭なメンタル

ひとたびメディアや世間の評価を勝ち取ってしまえば、その後は様々なメディアが定期的に声をかけてくれるから、晴れてメディア公認の「専門家」を名乗れるだろう。メディアも、忙しいうえに小うるさいことを言う大学教員よりも、フットワークが軽くて世間並みの感性もある「専門家」の方を好むから、メディア出演はますます増えるだろう。世間はそれを見て、ますます「専門家」として評価してくれるだろう。

しかし、これは誰もが目指すことのできる道ではない。先述の通り、まずはこのような道へ進むことを後押ししてくれる指導教員か理解者となってくれる大学教員と出会わなければ始まらない。そして、史料の「発見」ができるかどうかも運に左右される。非常に運に恵まれた者のみに許された道だということは覚悟しておいてほしい。

そして更に、このタイプのアマチュア歴史家になることで、大半のアカデミズム史学からの信頼を失うリスクを抱えることになるということも覚悟しておかなければならない。「発見」した史料の価値は正当に評価すべきものとしても、学会発表や論文という「公平」な場での討議を経ずに、自身の発見に至るまでの先行研究の歴史には全く触れずに「専門家」を名乗るという「手続き」面を問題視する研究者は少なくない。

たかが手続き、と思われるかもしれないが、その手続きはアカデミズム史学の「誠実さ」を担保しているたいへん重要な手続きなのである。アカデミズム史学では、先行研究整理が口うるさく言われるのはなぜかという話を第一部でしてきたが、それはアカデミズム史学が、たった一人の発見者によって成り立ってきたわけではないからである。そしてそのことを、アカデミズムのカルチャーを共有する研究者は皆知っている。自身の発見がいかに優れたものであっても、その発見は決してその人一人だけで成しえたわけではない。その背後に、それまでの多くの研究者たちの努力の蓄積があって初めて成しえたことである。そのようなことを理解し、その歴史に敬意を払うからこそ、学問の世界では先行研究整理を決しておろそかにはしない。

しかし、何度も繰り返すようだが、「発見」重視型かつメディアミックス型のアマチュア歴史家の世界においてはアカデミズム史学の誠実さなど何の値打ちもないものだし、アカデミズムの評価など屁でもない。たとえ例の昵懇の大学教員以外のアカデミズム史学の全ての支持を失おうが、世間からの「専門家」との評価があれば王者になれる、そのような夢のような世界である。

したがって、「発見」重視型、かつメディアミックス型のアマチュア歴史家になるためには、もう一つ重要なことがある。たとえ例の昵懇の大学教員以外のアカデミズム史学の全ての支持を失おうが、世間からの「専門家」との評価があれば我こそが「専門家」であり、この世界の王者だ、という鋼のメンタルの持ち主であることである。

第三章　SNS・イベント活用型

最後に、ここ数十年の間に支配的になったタイプのアマチュア歴史家についてみていきたい。このタイプのアマチュア歴史家の活動は、同人誌即売会とSNSの発展を前提として成り立ってきた。このタイプのアマチュア歴史家は、日頃の研究成果を同人誌にして、即売会などのイベントで販売してきた同人作家を始祖とする。その活動を日頃から個人サイトで発信し、更にファンを拡大・維持していく。このように個人サイトとイベントを活用し、その相乗効果をもって世間で一目置かれるアマチュア歴史家になる人たちが平成初期から二〇年代に誕生した。SNSとイベントは並立するものではなく、時期的にはイベントの方が早い。

ここまで「アマチュア歴史家」の括りで話を進めてきたが、こ

SNS・イベント活用型アマチュア歴史家のパラメータ

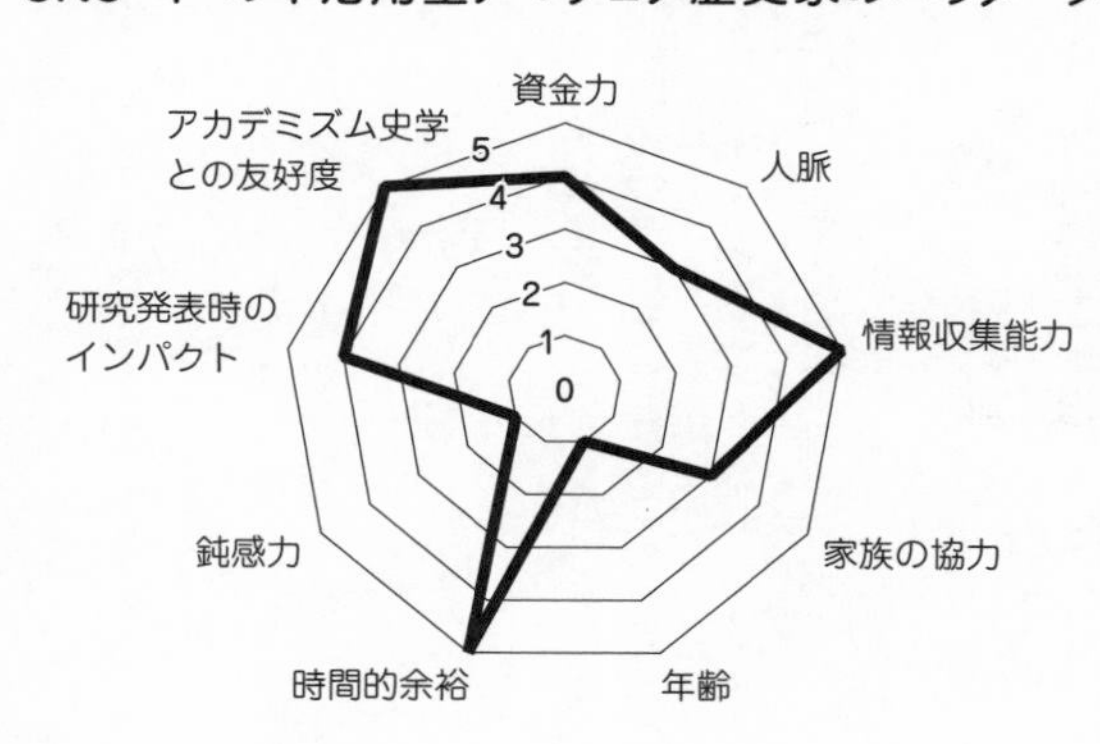

の世界では必ずしも成果物は「論文」の体をなしていなくてもかまわない。もちろん、あくまで「論文」として発表するサークルもあるが、研究の成果をより読みやすいレポート、解説書のような形にすることや、漫画や小説などの創作作品の形にすることも可能である。要は「研究」していればよいのであり、その発表形態は問われない。この自由さがアカデミズム史学の世界と異なる大きな特徴であろう。

憧れの歴史同人

実は、そのかみ、ＪＫであった筆者が最も憧れたのはこのタイプのアマチュア歴史家であった。当時、女性オタクの世界では同人誌と連動した個人サイトを作って発信することが盛んに行われていた。うら若き女性たちがＨＴＭＬを使い倒している様はとてつもなくかっこよかった。「キリ番」「絵チャ」「おえび」などという言葉を聞いて狂喜乱舞するほど懐かしさを感じる方とは話が合いそうである。

これらは二次創作界隈にも共通する話なのだが、筆者がはまったのはあくまで「歴史創作」であった。歴史創作界隈は、市場規模的にはアニメや漫画の二次創作には及ばないほど小さかったが、戦国・幕末という二大人気コンテンツは安定した需要があった。筆者はさらに明治以降の近現代史というよりマニアックな分野をフォローしていたのだが、この分野では男性の軍事オタクも含め、また独特な世界が広がっていた。

筆者がまず惹きつけられたのは、歴史創作作家たちのイラストの美しさ、漫画の面白さであった。しかし、知れば知るほどに歴史創作作家たちの知識量の豊富さが際立って見えてくるようになった。彼女たちの作品は、いずれもある程度教養がなければ楽しむことの難しいものであった。筆者はその作品を読み解くために、必死で近現代史を勉強した。昨今SNS全盛期の中で作品に求められるようになった「わかりやすさ」のようなものは全く慮外に置かれた世界であった。「わかる者だけついてこい」、そんな世界であった。今にして思えば、あの時代はきわめて高度な教養時代であったのかもしれない。作家の何人かは大学で歴史学を専攻していたようだし、中には大学院生もいた。

そして、いつしか筆者も、彼女たちのようになりたいと思うようになった。しかし、歴史創作をするためには、まずデジタルイラストが描けるだけの環境がなければならなかった。今ではペンタブレットも比較的安価に手に入るようになり、スマホやタブレットで絵を描くことも簡単にできるようになったが、当時のペンタブはもっと高価であった（ように思う。これは当時筆者が貧乏JKであったからそのように感じられただけなのかもしれない）。しかも、お絵描きソフトもいいのを買おうと思えばそれなりの値が張った。そして同人誌を作るには印刷費用がかかり、即売会に参加するにもお金がかかる。それらの準備をするためのまとまった時間も必要であった。これらは全て、筆者にはないものであった。

筆者は母子家庭育ちの貧困ＪＫであったので、そもそも親に娯楽のためにお金を出してもらうことは望めなかった。しかし親は勉学にだけは理解があったので、勉強のための本であれば買ってくれた。したがって、ＪＫ時代の筆者は、その本を読み込み、いつか大学に入って、アルバイトをしてお金が多少できたら、この本やもっとたくさんの本を読んで、ここにいる誰にも負けない知識に基づいた、史実に忠実でいて面白い歴史漫画を描いてやる……今に見ておれ……という思いを胸に秘め、唇を嚙みながら受験勉強にまい進した。

そして晴れて、浪人をすることもなく、自宅から通える距離の学費の比較的安い国立大学の大学生になることができた。しかし、大学生になっても創作に使えるお金も時間もないことに気づかされることとなる。筆者の通っていた大学は、確かに自宅から通えるのだが、通学圏内ギリギリで、片道で二時間、場合によっては二時間半もかかった。

更に、アルバイトをしようにもこの通学時間がネックになり、自宅の近くでも大学の近くでもあまり勤務可能なアルバイトが見つからなかった。筆者の目指すところは「誰にも負けない知識に基づいた、史実に忠実でいて面白い歴史漫画」を描くことだったので、大学の勉強もおろそかにすることはできなかった。したがって、授業が行われているような日中の時間はほとんど全て大学か図書館で勉強しなければならなかった。

当時は今のような大学無償化制度（高等教育の修学支援新制度）がなかったが、大学の提供する授業料減免制度があり、貧困家庭の学生はほぼこれに応募していた。筆者もこれを狙っていたが、成績上位者でなければ認められないという条件があった。その点においても筆者が勉強をおろそかにすることはできなかった。その結果、アルバイトができるのは平日夜の一八時から二〇時頃までと土日祝日に限られた。可能な限り勉学をするために、土日のどちらかは勉学に充てたかったし、平日も二日は勉学に充てたかった。このような条件でアルバイトを探すことはなかなか難しく、面接に行っても条件面ではねられることが多かった。ようやく近くの予備校のアルバイトを見つけて合格したのは学部三年生の頃であったが、それも先輩の紹介があったからであった。

このように、限られた時間のアルバイトだけでは、生活費を捻出するだけで精いっぱいで、創作につぎ込むお金はとてもなかった。また、勉学とアルバイトで起きている時間は目いっぱいに使っていたので、創作に使える余暇の時間はなかった。いや、眠気と過労で勉学さえ十分でなかった。

それでも、少しずつ貯金してどうにかペンタブレットを購入することができるようになった。しかし、筆者の貯めたわずかの資金で購入できたのは、手許で絵が映らないタイプのペンタブであった。モニターを見ながら絵を描くことに最初は慣れず戸惑ったが、それでも毎日早起きして少しずつ絵の練習をした。

しかし、それが精いっぱいであった。

結局、筆者が同人誌やSNSを活用した作家になることはできなかった。

友人とともに一度だけ同人誌即売会に行ってみたことはあったが、世界の違いに圧倒されて、失意に打ちひしがれて帰ることになった。ここの人たちと自分とは住む世界が違うのだと実感した。

作家たちが個人サイトのブログで発信していた内容からも、その現実を何度も突き付けられた。ポンとお金を出して史蹟旅行に行けてしまうこと。アルバイトをしていても、それは生活のためではなく、そこで得たお金を創作にたっぷり使えること。親がお金を出してくれて気ままな一人暮らしができること。毎日毎日時間に追われてあくせくした生活をしなくてよいこと。そうした全てが、羨ましくて眩しかった。

次第に、これ以上この世界を見続けていても苦しいだけだと思い、もうこれ以上歴史創作に触れることはよそう、と思うようになった。そうして、この人たちがこの創作をするために参考にしているその本を書くような人になって、この人たちを追い抜いてやるんだと誓った。この人たちが絶対にかなわないところまで私は行くんだと。今にして思えば、創作作家たちは別に歴史学の研究がしたかったわけではないと思うので、筆者のこの野望の前提はいろいろと間違っているのだが、それでも、そう思い込むことでしか失意から立ち上がる力を得ることはできなかったし、悔しさを抱えて折れずに生きていくことはできなかっただろうと思う。

気づけば、いつの間にか個人サイトの時代は終わり、SNS全盛期が来ていた。筆者が憧れと羨望(せんぼう)と嫉妬(しっと)の眼差しで見ていた人たちはいつしか社会人となり、創作の世界から離れていた。SNS全盛の世の中では、必ずしも同人誌を描くことが最高の栄誉ではなくなった。SNSだけで絵や漫画を披露して人気を博している人たちもいるし、そのような中から商業作家になる人たちも現れるようになった。個人でサイトを作る技術がなくても、簡単に作品を披露できるようになった。創作界隈は多様化した。

社会も変わっていった。筆者が大学生になった時代はまだ大学生は豊かだったが、現在は筆者と同じかそれ以上に貧しい大学生も増えてきた。社会全体が貧しくなり、貧しい学生のためのサービスも増えてきた。大学の学費無償化制度も拡充されてきた。

今の貧困学生は、筆者が学生であった頃より遥かに恵まれているとさえ感じる。もし今大学生であったならば、筆者は研究者を目指していなかったかもしれない。それなりに楽しく創作ができて、それなりの学生生活を送って、それなりに就職したかもしれない。確かに給料は低く、物価もかつてより遥かに高い。暮らし向きは決して楽ではないだろうが、しかしそれは周りも似たようなものであり、共感してくれる仲間がいる。かつての筆者が感じたような悔しさや孤独を感じている若者は、今もいるのだろうか。

仮に絵や漫画、小説が書けなくても、ＳＮＳを使って歴史書のレビューをしたり、その考察をしたり、様々な形で「研究」の成果を披露することが可能である。ＳＮＳも多様化し、選択肢は広がった。良い時代になったものである。

SNS時代の歴史同人

しかし、それだけ選択肢が多様化したということは、その中でインフルエンスを持ちうるためにはそれなりに秀（ひい）でた成果を示さなければならないということである。その意味で、単なる考察やレビューよりは小説、小説よりは絵や漫画などのビジュアル的な歴史創作に特化したアマチュア歴史家の方が世間ウケする。そして、そうした活動においてインフルエンサーになるためには、十分な時間とお金が必要であり、やはり太い実家を持つ大学生か高校生である必要があるという現実はあまり変わっていないのかもしれない。かつて筆者が憧れた同人作家たちも社会人になって創作から離れていったという事実はその仮説を裏付ける。社会人になりお金はさらに潤沢になっただろうが、時間という重要な条件の一つがなくなってしまうと、十分な活動は続けられない。

退職すれば時間に余裕はできるが、このタイプの作家は同人誌即売会やSNSというツールを駆使するという特徴から、現在のところあまり六〇代以上の人にはお目にかからない。不可能ではないだろうし、今後のことはわからないが、全体として世代の若い業界なので、変に目立ってしまうことを好まないならば高齢の方にはあまりお勧(すす)めできない。最近では創作を行う中学生キッズなども目立つようになってきたが、歴史創作の場合ある程度の知識と教養が必要になってくるので、進学校の高校生か大学生がやはり主たる担い手になっているようである。

アカデミズム史学とアマチュア歴史家の蜜月

現在、このタイプのアマチュア歴史家は主にSNSを駆使して成果を公表している。彼らが主に使っているツールは、短文投稿サービス・X（旧Twitter）である。歴史が好きな人というのは、往々にして文章を読むことも書くことも好きな傾向があるので、動画や画像投稿型のSNSよりは短文投稿型の方を好むものと思われる。

一方、アカデミズム史学の研究者たちもSNSを活用するようになってきた。そして、SNSを通じてこの両者が出会ってしまうことも珍しくはなくなった。アカデミズム史学の研究者たちも、今や大半がデジタルネイティブ世代であり、かつて掲示板や個人サイトを楽しんでいた人たちである。歴史創作界隈の提供する教養ちらつく娯楽を好んでフォローする。

SNS・イベント活用型のアマチュア歴史家は、アカデミズム史学の世界の価値観を絶対視しない傾向にあるように思われる。先に見たように、このタイプのアマチュア歴史家は比較的年齢層が低い。したがって、高齢世代ほどに出版物や学界の権威が絶対的な存在でもない。筆者が学生であった時代にはまだ、同人誌・個人サイトという一つの「権威」があったが、それすらもこの人びとは相対化してしまう。価値観は多様であり、提供されるサービスも多様であるように、自らの成果を生み出す場や形態も多様であっていい。そんな柔軟な考えを持ったニュータイプのアマチュア歴史家である。

しかもそこには、自費作家型アマチュア歴史家の一部にありがちな、劣等感の裏返しの強がりといった複雑な感情は全くない。あくまで恬然としている。彼らにとって論文や学術書などはあくまでたくさんあるツールの中の一つにすぎない。アカデミズム史学のものさしを絶対視していないから、彼らの世界とは全く異なる価値観の中で生きていられる。したがって、アカデミズム史学の研究者に敵意を向けることもなく、SNS上で出会えば親しく交流することができる。

こうして、アカデミズム史学の側からSNS上での出会いをきっかけに、研究と創作のコラボを提案する機会も増えてきたように思われる。筆者が学生であった時代にはありえなかった、アマチュアの作品が歴史学の成果発表とともに一つの博物館で共演しているというようなイベントがあちこちで見られるようになった。アマチュアとアカデミズムの世代交代がもたらした、一つの蜜月の形である。

以上、思いつくままに三つのタイプのアマチュア歴史家について考えてきた。もしかすると他にもここで取り上げなかったようなタイプのアマチュア歴史家が存在するかもしれない。もとより厳密な調査に基づく分類ではないので、実際にこれらのタイプがどの程度存在し、その実現可能性はどの程度であるのかといった分析まではできていない。こういうことに関して専門の人が読者の中にいらっしゃれば、改めて調査をお願いしたいところである。

しかし、これが全くの妄想というわけでもないのは、読者の皆様もそれぞれにご納得いただけるところであろう。おそらく現在は、このような大きく個性の異なる様々なタイプのアマチュア歴史家や、その予備軍やサポーターである「歴史好き」が、アカデミズム史学の周囲に広く存在しているという状況であろうと思われる。

したがって、アカデミズム史学の中の人たちには、「歴史好きとのコラボ」や「歴史好きも巻き込んだイベント」といったようなことを考えるならば、こうした異なるタイプのアマチュア歴史家や歴史好きのそれぞれがどのような反応をするかということをしっかりと意識していただきたいものである。これらのアマチュア歴史家や歴史好きは、皆同じような動きをするわけではない。その生態は全く異なり、目指しているところも違う。一つのタイプを意識して何かを打ち立てても、他のタイプが反発して台無しになるかもしれない。

多様なタイプが相互に険悪な雰囲気になるかもしれない。あるいは、結託してアカデミズムに刃を向けるかもしれない。

このように考えれば、学術コミュニケーションとは政治と似たところがある。必要上、広く網にかけるしかないのだが、その受け手の多様性を理解しなければ当初狙った効果は半減するどころか、マイナスになってしまうこともある。

近年のアカデミズム史学の人間は、アマチュア歴史家との協同を無邪気に捉えがちであるように思われる。それというのも、近年のアカデミズム史学の中核を担っている中堅や若手の研究者たちは、先にみたようにデジタルネイティブ世代であり、SNS・イベント活用型のアマチュア歴史家と蜜月の関係を築いてきたからであろう。彼らにとって「アマチュア歴史家」とはすなわち専ら「SNS・イベント活用型アマチュア歴史家」のことなのである。

しかし、もっと上の世代のアカデミズム史学の研究者たちは、皆自費作家型や「発見」重視・メディアミックス型のアマチュア歴史家との緊張関係の中にあった。彼らは時に攻撃される存在であり、業務を妨害される存在でもあった。アマチュア歴史家にとってもこの世代のアカデミズム史学の研究者は、権威に凝り固まった融通の利かない存在であった。

現在でもその名残は所々に見られ、若い世代の研究者を困惑させている。現在の中堅・若手研究者たちは、このようなアマチュア歴史家や歴史好きの存在を念頭に置いているようにはほとんど見えない。

アマチュア歴史家とは、皆その本質においてわれわれの協力者であるというわけではない。そのように考えるとすれば、それはあまりにアカデミズム史学の人間に都合の良い考え方である。アマチュア歴史家には彼らなりの目指すところがあり、彼らなりの信念がある。彼らの世界には彼らの世界の「言葉」がある。アマチュア歴史家とは、アカデミズム史学の人間にとって本来おそろしい存在でありうるのだと肝に銘じなければならない。彼我には、本質的に緊張関係がある。社会の変化とテクノロジーによって、その緊張関係が表面化しにくくなっただけである。

われわれアカデミズム史学の人間、特に中堅や若手の研究者は、こうしたアマチュア歴史家や歴史好きの多様性とそれぞれの本質を理解しなければならない。真の「学術コミュニケーション」は、まずはそこから始まると筆者は考えている。

第三部

学問と「笑い」

笑いは我々の知っているように情緒とは相容れない。もし笑いを誘う狂気があるとしたなら、それは精神の一般的健康と両立しうる狂気、健全なる狂気とでも言えるものでしかありえないであろう。

アンリ・ベルクソン

第一章　大学をめぐる「笑えない」現状

筆者は、先に述べたように二〇二三年六月に『Historia Iocularis』（通称「いお倉」）という新雑誌を起ち上げた。この雑誌起ち上げの背景の一つには、公式サイトに掲載した「創刊の趣旨」でも触れたように、アカデミズム史学を取り巻く深刻な現状認識があった（Historia IocularisのWEBサイト参照：https://www.h-iocularis.com/historia-iocularis/）。それはいずれも筆者が前任校で直面し、考えた問題であり、筆者とともにこの雑誌の起ち上げに加わってくれた発起人も皆同様に共有した問題であった。

ただ、「創刊の趣旨」ではその背景がよくわかる人には伝わるが、そうでない人には何を言っているのかよくわからなかっただろうということは、いろいろな方からいただくご質問やご意見を通してひしひしと感じていた。アカデミズム史学の中の人においてさえ、戦艦や空母級を乗り回しているような人たちにはあまりリアリティを持って受け止められなかった。

しかしこの話は今回筆者が「いお倉」で試みた挑戦の本質をご理解いただくために不可欠であると考えるので、ここで丁寧に解きほぐしていきたい。

大学を取り巻く環境

学部、修士課程、博士課程と過酷な訓練を積み、生き馬の目を抜くようなアカデミズム史学の世界で厳しい競争に耐え、実力と運に恵まれて晴れてアカポスに就職したとしても、そこで研究者を待ち受けているのは、自らを育ててくれた知的な雰囲気が全く求められていない世界である。

一八歳人口が減るということは、市場のパイ自体が減るということである。しかし、大学の数は減っていないどころか増えてすらいる。このような中で、国公立大学や一部有名私大以外の中小私大、地方私大などはいずれも減りゆくパイを獲り合い、生き残りをかけた競争状態に置かれている。

そのような中でも、比較的恵まれた状況にあるのは宗教団体や大企業が母体にある中小私大である。こうした大きな組織がバックにある場合、資金力は比較的潤沢である。一方、そのような巨大な組織がバックにない地方中小私大の中でも、「お嬢様校」と呼ばれるような裕福な家庭の子女が通うというブランドを確立している大学はまだまだ安全圏内にいる。その大学の出身である裕福な家庭の子女には、母校に多額の寄付をしてくれる家の人たちもいる。また、その子女たちは、さらにその子女も母校に入れたいと考える傾向があるように思われ、ある程度安定した入学者が期待できる。

しかし、巨大な組織がバックにあるわけではなく、「お嬢様校」的なブランドもない地方の中小私大の場合、状況は極めて厳しい。余談なのだが、先に触れた二つのタイプの私大が戦前に誕生しているのに対して、ここで話題にしているような大学の多くは、戦後すぐに誕生したという似た背景を持つ。苦しい戦争の時代の中で、戦闘や勤労奉仕に駆り出されて十分な教育を与えられなかった若者たちを見て、新時代には教育こそが肝要という強い信念を抱いた創設者が全国で叢生(そうせい)したのだろうと考えると感慨深い。しかし時代は変わった。今やこのタイプの中小私大は、創設者が想像もしなかったような問題に直面している。この辺りの話は教育史という分野で豊富な蓄積があるから興味のある方はいろいろと調べてみてほしい。

さて、巨大な組織がバックにあるわけではなく、「お嬢様校」的なブランドもない地方の中小私大——このタイプの私大がおそらく私大の大半を占めているのだが——の経営は、その大部分を学納金と国からの補助金に依存している。したがって、国が示す様々なプログラムに果敢に手を挙げると同時に、学生募集に心血を注がなければならない。

しかし、先ほど来申しているように、一八歳人口は減り続けている。この減ったパイを、増えたプレイヤー同士で奪い合っているのである。

ところで今「一八歳人口」という話をしてきたが、一八歳を迎える若者の全てが大学に行くわけではない。大学に行くのはそのうちせいぜい六割ほどである。文部科学省が公表した最新の学校基本調査によれば、大学進学率は短大も加えて六一・一%であった。そしてこの数値は、過去を振り返ってみると年々増加しているのである。したがって、全体のパイ自体は減っていくことが確定的なのだが、実際にアクセスする「顧客」はしばらくは増やすことができるということになる。

ただし、これはあくまで経営的な単純計算である。従来大学に行かなかった（行けなかった）層までもを顧客として迎え入れるということは、従来の大学教育では十分な教育効果を持たなくなる可能性があることを意味する。実際、既に中小私大ではそのようなことが起こっている。高校時代までずっと勉強が嫌いで、自発的に学ぶ楽しみを経験したことのない学生に対して、論文や史料を読解させるような授業はひじょうに難しい。そもそも、その論文や史料について説明するための共通の「言語」自体を持たない学生も多いからである。

たとえば、近代史料読解の授業は漢文の知識が欠かせないのだが、筆者の経験では漢文の素養が全くない学生に「返り点」の説明をするのに非常に苦労した。これを漢文の言葉を使わずに説明するために、英語文法の話に置き換えて「目的語」という言葉を使ったのだが、学生はその「目的語」という言葉がわからなかった。ひとまずその場は「そういうふうに読むんだよ」と納得させるしかなかったが、その学生はきっとその場ではわかった気になれても、同じような別の例が出てきたときにはまたつまずくだろう。結局、このような学生に対して大学は、「義務教育の補習科」となるか、さもなければよくわからないまとりあえず机に座らせておくだけの場にならざるをえない。

そのような中でも現場の大学教員はたいへんよくやっている方だと思う。時間をかけてもゆっくり論文読みにつなげようとしたり、他大学であれば一人で担当させる史料読解を、複数人グループで複数回に分けて読み解かせたり、アニメや漫画の教材を組み込んでやわらかくかみ砕いた講義を作ったり、戦艦・空母並みの大学教員が一生涯経験することのない苦労を重ねている。

しかし、現状が既にかなり限界なのではないかと思われる。今はまだ、地方中小私大でも時折、高校までは勉強が嫌いだったが、それは家庭と付き合う相手に問題があっただけで、磨けば光るタイプというのが少数ではあるが存在する。今後も一定数はそうした学生が見出せるだろうが、そもそも現場教員の負担が今までの比ではないほどに増大するであろうことと、「義務教育の補習科」化した授業の中で、そうした芽を開花させることができないままに埋もれさせてしまうことが予想される。

やる気があり基礎学力の比較的高い方に合わせれば、そうでない方が取り残される。やる気がなく基礎学力の低い方に合わせれば、その逆は退屈になって去ってしまう。偏差値上位校であればやる気と基礎学力のある方にある程度照準を合わせていればよかったのだろうが、そうでない層が大半を占める大学ではそうもいかない。現場の教員はこの矛盾に引き裂かれ、ますます憔悴する。こうして大学は、ますます知の学府としての空気から遠ざかってしまう。

大学の「ファストフード店化」

しかしこれは、大学教員＝研究者から見た場合の問題なのであって、経済界や社会の側から見ればちっとも問題ではない。日本の経済界にとっては、人間や社会について深く考えて、じっくりと史料やデータを集めて自分だけの答えを出すような人間よりも、言われたことを言われた通りにやってくれる人材の方がはるかに使える。社会に出て就職したい大半の若者たちにとっても、企業社会で差し当たり使わない学問よりも、すぐに使えるスキルを教えてくれた方がはるかに嬉しい。親たちもそのように考える。

このような多数派の要請により、大学で教えるべき内容も多数派に即して変わることが要請されている。大学はますます職業訓練校になることが求められるし、それと同時に人文学のような教養科目はますます不要とされる。不要というのは、絶対的に必要がないということではなく、差し当たって必要でないということである。

これが良いとか悪いとかいう話をしているのではない。単に、そういう時代なのだということである。そして、その中で大学で研究がしたくてこの仕事を選んだ人間は、思ってたのと違ってしんどいよねえというだけの話である。その中で、少しでも研究者が生きていくのがしんどくならないような方法を考えて、筆者なりに出した一つの答えがいお倉だったのだが、その話は次章以降でより詳しくすることになるだろうから、今はもう少し大学の歴史学を取り巻く現状の話をしたい。

このような話をするとき、よく理系と文系の対立をあおるような話になりがちだが、それは問題の本質を見誤っている。そもそも、社会全体が理系も含めた学問というもの自体にあまり価値を置かなくなっているというのがより実情に即しているだろう。日本の大学の国際競争力が落ちたという話や、日本の大学における研究費と比べた場合海外の大学の研究費がけた違いで、優秀な人材が海外に流出してしまうというような話があるが、あれらは全て文系だけの話ではない。わが母校からノーベル医学・生理学賞を受賞した山中伸弥教授がチャリティーマラソンで研究資金を稼がなければならないような状況を考えれば、理系研究者とて厳しい状況に置かれているという点では同様なのである。

予算が少ない状況が恒常化すれば、逆転的な現象として、社会の中での学問の地位もそこで固定化していくことが予想される。そして、既にこの現象は進行中である。世間は、次第に学問を必要としなくなるだろう。それは、大学の「知」の雰囲気を知らぬ大人が社会の重要な場所を占めるようになればなるほど進行するだろう。

しかし一方で、大学数だけを見れば平成期に急増している。これをどのように理解すればよいだろうか。

この現象は、大学の外で知的好奇心を満たす多様なチャネルが叢生していることと表裏一体の関係にあるのではないかと思われる。YouTubeには歴史や国際関係、物理や化学などを扱った、知的好奇心を満たす動画が溢れている。SNSでも、なんとなく知的っぽい投稿を繰り返し支持を得るインフルエンサーは枚挙にいとまがない。

これらはいずれも、世間の知的好奇心が決して衰えたわけではないことを示している。しかし、その「知」とは、動画や短文で簡単に入手することができるファストフードのような「知」である。世の中の大半の人びとは、じっくりと腰を据えて人間や社会を考える時間的余裕も金銭的余裕もなくなっている。しかし、何かを知る喜びはある。あまりにも難しいことを言われると、遠ざけたくなる。しかし、簡単に理解できることなら、少しは欲しい。そういう欲求を満たす、ファストフード化された「知」である。

このようなタイプの人びとを受け容れるために、大学も次第にファストフード店化している。動画や短文で短時間で理解できるような、したがって視覚的・感覚的に印象に残ることを言われなければ食指が動かない人たちを飽きさせないようにしなければならない。食べるまでに時間がかかり、じっくりと噛み締めなければ味わえないような繊細な料理を好まない人たちを、惹きつけ続けなければならない。

そして面白いことに、社会の中でこのような空気感が支配的になると、当初は中小私大だけの話であったこの学問のファストフード化が、次第に上層にも広がっていくように見えることである。研究者が学問の側にメンタルを置き続けることはますます難しくなってきている。

王侯貴族の庇護から大衆が「王様」の時代へ

社会自体に余力がなくなっている。大学数は増えて一つ一つへの配分が減るのは当然。そもそも世間が小難しいことを求めなくなっている。学問が、そして歴史学が縮小していくことを追認するための言説はいくらでも思いつく。しかし、学問は社会に余裕があるときにしか発展できないものなのだろうか。少なくとも歴史学を多少なりとも身に付ければ、長期的な視野で物事を考えることができるようになっているから、長い長い人類の歴史の中では決してそのようには言えないということがわかるだろう。

歴史学も含めた人文学は、歴史的にはひじょうに古い学問であると第一部で述べたことを覚えているだろうか。人類の文明とともに発展してきたと言ってもよい。しかし、文明といっても、古代の王侯貴族でさえ、現代日本の貧困層池田に比べてもはるかに質素な生活をしていた。社会全体でみると大半がその日を暮らしていくだけで精いっぱいであった。

しかし、そのような社会で、歴史学は生まれ、発展した。歴史学だけではない。天文学や、数学や、およそ現代日本では「稼げない」とされているあらゆる学問が叢生した。ということは、古代社会はこのような学問を支えることができていたということである。

ここで、一つの物語をしよう。

狩猟採集の社会から脱し、人間集団を養うことのできる穀物を発見した人類は、その栽培によって余剰生産力を得た。この余剰な生産で、その人間集団は人間集団の規律を設け、秩序を維持してくれるリーダーと、そのリーダーの判断を支える宗教者と、その人間集団を他の人間集団の脅威から守ってくれる武人を養うことができるようになった。このような者たちを擁した人間集団はますます強くなり、より多くの人間集団を従えるようになった。

大きくなった人間集団を支えるためには、ますます生産力を高める必要が出てきた。そして、生産力を上げるために必要なことを戦略的に考え、それがうまく当たる人が集団の中から出てくる。そうした人たちに集団は生産物を与えて、彼らがその戦略を立てることに専念してくれることを願った。これが暦を読む天文学者であり、木や鉄から農具を作る技術者であり、水路や灌漑設備を工夫して作る建築学者であった。

人文系の学問は、人間集団を統治する支配者に求められた。仕事が嫌である、戦で負けて、この集団のために働くのは嫌だ。そのような様々な思いを抱えた人間集団を統治していかなければならない支配者は、この集団に服さなければならないのはなぜか、この集団が唯一無二で尊いのはなぜかという集団の成功物語を歴史学者に描かせた。そしてそれは、被支配者が喜んで支配者の求めのままに働いてくれる効果をもたらした。

人間集団が徐々に大きくなり、国家が作られると、社会もどんどん複雑になっていき、もはや誰も学問のそのような起こりを意識することはなくなった。しかし、この単純化されたモデルは依然として社会の中に見いだされた。ただし、複雑化する社会の中で学問は、民から直接委託されるのではなく、国や国の支配者たちによって必要とされ、行われるものとなった。ただ彼らに支払われる報酬は、民の血税や労働奉仕によって生まれたものであるという意味では、古来のモデルはなお生きているといえよう。こうして王家や貴族による庇護を受けた学者は、安定した生活のもとで真理を探究することができるようになった。

やがて、王家が倒れ、あるいは法のもとに権力が押し込められ、民の力がますます強くなっていく。民たちの中には、新たに作った国の力でもって学問を庇護する、新時代の王侯貴族となる者たちもいた。しかし国が発展し、民がますます豊かになると、今度は民たちの中からまた新たに学者を養う者が現れるようになった。こうして学問は、国と民という新たな庇護者を持つようになった。

この二つのパトロンの中から、徐々に後者の力が大きくなっていった。しかし、後者のパトロン、すなわち大衆は気まぐれであった。かつての王侯貴族や国家のように、確実に学問にお金を出してくれる存在ではなかった。そして、何より大衆は、即物的で刹那(せつな)的な娯楽に目がなかった。学者たちは、このような新たな時代のパトロンを楽しませるために、真理の探究のような迂遠なことよりも、すぐに答えが出て、すぐに人の役に立つことしか研究しなくなった。

歴史学は、医学や工学・農学のように、目に見えて誰かの役に立つ学問ではない。したがって、歴史学が見つけたのは、彼が生まれながらに持つその二つの力の一つ、「物語」の力である。歴史学はこの「物語」の力を借りて、大衆という新たな時代のパトロンを楽しませることにした。

変わったのは、果たして社会の余力なのだろうか。

国内の「異文化」

今や、大衆がパトロンとなった時代である。この新たな時代の王者となった人たちのことを、筆者は学部生時代から数えて一四年間母校にいる間にはほとんど意識することはなかった。しかし筆者はそれを、確かに一五歳までは知っていたはずだった。義務教育期間を公立学校で過ごした経験のある人は同業者の中では少数派のように思われるが、この本のテーマと大いに関わる話なので、丁寧に振り返ってみたい。

そこには常に貧困の影があった。筆者も貧困の側の人間だったが、ふつう貧困の中にある人たちは、勉学に価値を置かないものだと学校に入って初めて知った。貧困にありながら勉学をするのはおかしなことなのだと知った。勉学を面白いと感じ、人間の営みやその歴史に思いを馳せる、繊細で感受性豊かな子どもだった筆者にとって、そのような感覚が全く価値を持たない世界は、ちょっと、いやかなり息苦しい環境であった。勉学することが当たり前の世界に行きたいと思って、親に頭を下げて高校受験をした。それからは、周囲との格差に傷つき自身の貧困を呪うことはあっても、自身が置いて逃げた「異文化」のことはほとんど考えなくなった。

前任校は、それを思い出させてくれた。この「異文化」は筆者の身体の一部である。アカデミズムの世界に向いているように思えても、背中にはこの「異文化」がいつもついてくる。筆者は、いやこの世の誰もが、この背中を剝がすことはできないことを知るべきである。

もちろん、前任校は筆者の通った小中学校とは全く異なる環境ではあった。しかし、そこに通う学生の多くは、筆者の通った小中学校のような学校を経験してきた人たちであった。だから、彼らの姿からその奥に、忘れかけていた「異文化」が透けて見えた。彼らもまた、多くは筆者と同様にそこからの脱出を願って大学に来た人たちであった。家族親戚の中に大学を出た人が一人もいないような人たちが多数派であった。高校で離れた筆者よりもはるかに「異文化」の影響が濃かった。

筆者は自らの置かれたこの世界というものを、これほどまで真剣に考えてみたことはなかった。ここでの二年間は、助教時代も含めて母校で過ごした一四年間以上の意味を持った。筆者にとって、体感的に五〇年分くらいの勉強をさせてもらったような二年間であった。

大学内だけではない。周辺地域や更に広い地域、その空間を覆っている雰囲気のようなものに触れ、そうすることでその空気と親和性の強い全国的雰囲気というものの中にも、今まで気づかなかったようなことが目に留まるようになった。そしてそこにいると、今や日本中を覆ってしまった、アカデミズム的なものを不要とする空気のことが、なぜだか少し「わかった」ような気がした。しかし「わかった」からといって、これに同調することはできない。筆者はどこまでも、アカデミズムの人間であることを痛感する。どちらにも根っこがあり、しかしどちらにも完全には属することができないでいる。

アカデミズムの側の人間は、この「異文化」を敵対すべき他者と捉え、銃口を向けている。しかし軍勢は圧倒的に劣勢である。今や包囲されているのはアカデミズムの側の人間である。筆者は包囲された少数兵たちの向ける銃口に向かって立ちはだかるも、両方からもみくちゃにされて死んでしまう立場の人間かもしれないと思う。

われわれは大学で「多様性」といって外国人留学生を受け入れてみたり、逆に外国に留学させてみたりする。それはもちろん必要なことだが、思うに大学が提供してあげられるような「異文化」など、去勢された「異文化」にすぎないように思う。言語が異なるだけで、実は似たような文化的環境に生まれ育ち、同じ普遍的価値を共有できる、同階層の人たちと交流しているにすぎない。筆者の与太話だと思うと取るに足りないように思われるかもしれないが、カズオ・イシグロ氏も似たようなことを言っていると言えば多少は真剣に検討してもらえるだろう。

既にこれほどまでに「多様化」し、価値観を根底から異にするような人たちがたくさん住まうこの日本国内は、十分「異文化」である。その「異文化」は、常にアカデミズムの世界とは緊張関係にある。そこは、アカデミズムの世界とは全く異なる論理が支配する世界である。その「異文化」は、むきだしの「異文化」である。アカデミズムの人間にとって、全く安全でない「異文化」である。だから、アカデミズムの中の人たちの多くはなるべく触れないようにしている。もちろん、分野によってはそのような世界を研究対象としている人たちもいる。しかし、研究対象とするのとその場を離れがたい自らの一部として経験するのとでは全く見え方が違う。

考え方が、考え方を支配している価値が、根底から違うのである。同じ言語を話していても全く話が通じないという経験をしたことがないような人が「多様性」を語るのを見て複雑な気持ちになることがある。前任校に着任してから母校のある先輩に会ったときに、「新しい職場はどう?」と聞かれたことがあった。「いやあ、こちらの話が通じなくて、向こうも何言ってるのか全くわからないことがよくあって、困ってます」と言ったとき、「留学生が多いの？」と言われたことは未だに忘れない。今書き出してみると、そりゃそうだよな、そうなるわな、という感じもするし、先輩は何も悪くないのだが、なぜかその時は心に強いザラつきを感じた。[*1]

アカデミズムの人間で、自らが社会的に不要視されている現実を今や知らぬ者はいないだろう。しかし、そのような空気が間違っていると叫ぶばかりでは全く能がないと思う。そのような空気が生まれてくる環境を直視しようともしない。そこにアクセスして初めて、現実的に自らの身の処し方を考えることができるようにもなろうというものだ。

＊1　ちなみに、この話は世代間ギャップというような意味ではなかったのだが、世代間の話にも応用できるかもしれない。ただ前任校の学生には、不思議なことに世代間ギャップはあまり感じなかった。余談だが、筆者が関わった学生たちは、歴史を学びに来る学生だけあって少し過去の出来事などにも割と詳しい学生が多かった。また、三世代で同居している学生が多かったので、祖父母の影響で、筆者でもわからなくなってしまったような昔の俳優のことを知っていたりもした。Z世代であるはずの学生が『西部警察』とか『太陽にほえろ！』とかの話をしているのを見て思わず「君ら何歳だよ！」と突っ込んでしまったこともあったし、「総統」と言っただけで「チクショーメー」と返すようないにしへのオタクが棲息していた。この空気感は、心底好きだった。ちなみにこの『西部警察』の学生は筆者に『紫電改のタカ』全巻を頼んでもいないのに貸し付けてきた。面白かった。

アカデミズム史学の単機飛行

アカデミズムの世界には、このような日本国内の現実に全く無関係でいられる人たちが確かにいる。純粋に真理を追究し、国内外のトップクラスの研究者たちとハイレベルな議論を繰り広げていられる。前任校にいた時分の筆者も、時折そうした集まりにオンラインで呼ばれることがあったが、ただただ清々しかった。しかし接続を切って、現実に戻ったとき、言い知れぬ感情におそわれた。

学問とは本来そうあるべきだとは思う。そうあらねばならぬものと思う。逆に最高学府がその使命を手放してしまったら終わりだ、とも思う。しかし筆者には彼らが、大衆がパトロンになった時代に気づかず、王侯貴族がパトロンであった時代と同じようなことを続けているように思えて、複雑な気持ちになるのだった。

もちろん、大衆の中にもかつての王侯貴族的な価値観を持つ者が少ないながらもいて、彼らもまた大衆であるには違いはないのだから、彼らの庇護を得ている限りではアカデミズムはそのままでよいのだろう。どうかそのままでいてほしい。しかし、大衆の多数派が、もう全く異なる世界を作り上げているこんにちにあって、そしてそのような世界の中に棲むしかない大多数の研究者は、引き裂かれるような苦しみを感じてはいないだろうか。これがおそらく、筆者の感じた違和感の正体であったように思う。

理解してもらいにくい感情だと思うので、何度も言葉を変えて繰り返すが、筆者はアカデミズムの世界の最高峰で戦っている人たちを非難しているのではない。また逆に、そのような世界とは異質な大衆社会を非難しているのでも、全くない。ただ、その全く異なる二つの世界のはざまで、筆者と同様に、多くの研究者たちが身を引き裂かれるような苦しみを味わっているのではないか、ということに気づいたのである。

このようなことは、おそらく研究者自らが声をあげることの難しい問題であろうと思われる。そしてそういうことは最高峰の方々には全く気づかれない。最高峰の方々はどんどん単機飛行をして行ってしまう。こういうことは、気づいてしまった人間がやるしかないのだと覚悟を固めた。そういうことを見捨てておくのが、賢いのかもしれない。そういうことを放置して、少しでも業績を上げたほうが賢明だ。現に皆そうしている。しかし、放置して問題を先送りしていても、「面白くない」と思われた。

第二章　「笑い」の力

苦しい状況にある者に「笑い」など不謹慎だ、と思われるかもしれない。しかし、戦場の慰問のように、明日死ぬかもしれない運命にある者が最後に求める「笑い」もある。筆者の求めてきた「笑い」は、常にそのようなものだった。滅びを前提としながら、さりとて滅びるまではまだ少し生きてゆかねばならない者が、その最期の瞬間まで動き続けているための燃料であった。

母校での助教の任期が切れるより二年前に前任校への着任が決まった。ひとまずアカポスに収まることができてほっとしていたが、そこはそれまでに経験してきたことが全く通用しない世界であった。これまでいた世界と大きく乖離する空気に、最初はなかなか馴染めなかった。それまでは、研究をすることでしか評価されない雰囲気の中にいた。ひじょうに厳しい競争環境で、苦しいことには違いはなかったが、その価値観は共有できた。しかし、新しい環境では、研究をすることがわれわれに求められた使命ではないのだという現実を初っ端から突きつけられた。

研究室の引っ越し前に下見をさせていただいた日のことだった。筆者の入ることになる研究室は、竣工(しゅんこう)したばかりの真新しい校舎の三階にあった。そこに入った瞬間、目を疑った。本棚が、二台しかなかったのだ。それも、研究室や大学図書館にあるような天井まで届くような高さの業務用の本棚ではない。家庭用のような木製の小さな本棚であった。ただ、キレイでおしゃれだった。

既に入室していたほかの先生方のお部屋をのぞくと、やはり二台の本棚にオシャレ家具が並んでいた。筆者の知っている大学の研究室ではなかった。都会の意識高い系オシャレオフィスだった。大学の研究室とは天井まで届くような本棚が壁一面を埋め尽くしていて薄暗く、そのうえさらに置ききれない本や史料が机の上にうずたかく積まれていて、足の踏み場もなく埃っぽいにおいのするものだとイメージしていた筆者は面食らった。

もちろん、分野によっては紙の本がほとんどなくても研究できるのかもしれない。しかし歴史学分野ではそうはいかない。史料や古典的業績のみならず、毎月のように発表される紙の本を可能な限り押さえておかねばならない。「ここで一体どうやって研究をしようか」と急に不安になった。

そこは貪欲な筆者のことなので、「本棚、余ってるのないですか！　退職された○○先生が持ってたのとかでも余ってないですか！　どんなにボロくてもいいです！　こんなキレイなのでなくていいんです！　ボロいパイプのやつでいいんです（むしろそれがいいという本音を隠しつつ）！　捨てるんだったらください！」と迫ったところ、「えっあんなのでいいんですか？」と訝られた。あっこれは、全く異なる価値観が支配する世界だ、とその瞬間に確信した。この家庭用のような木製の、化粧までしてある本棚は、「新しくてオシャレ」だから置かれてあったのだ。それがわれわれに対する最高のもてなしであったのだと、その時気づいた。研究者にとって、「新しくてオシャレ」よりも「本をどれほど積めるか」の方がずっと価値があるものだと信じて疑わなかった筆者は、「異世界に来てしまった」と感じた。

どうにかこうにか六台追加してもらえたが、それだけではとても足りなかった。これ以上頼み込むのもさすがに気が引けたので、私費で三台購入した。貧乏研究者には痛い出費であった。この三台も、今の職場に移る際に前任校に寄贈した。今の職場には十分すぎるほどの書架が備え付けられてあったから、筆者の購入した三台は不要となったためである。実際今以上に棚を配置できるスペースもなかった。あの本棚は、新しくそこに入った先生方に有効に使われているだろうか。「私には二台で十分なのに！」と邪魔者にされていないだろうか。時々気にかかる。

優しくあたたかな不安

それでも、研究が全く不要とされる環境ではなかった。大学にとってもわずかばかりでも利益となるから科研費の取得は奨励された。しかし、それまで全国の研究者としのぎを削っていたような厳しく過酷な環境は、そこには全くなかった。今にして思えば、ひじょうに居心地のよい穏やかな環境であったと思う。実際、働いている教職員は皆和やかで、のんびりとしたアットホームな感じであった。長く勤続する教職員が多かったのも、ここの職場環境が良好であったからだろうと思う。しかし、筆者は、皆が優しく穏やかであればあるだけ、それまでに置かれていた過酷な競争環境との乖離から焦りと不安を強く感じるようになっていった。

その感情は、時折学会や外部の研究会に参加することでますます強まっていった。職場の人たちは、穏やかで皆優しい。でも、外には相変わらず厳しい競争環境がある。同業者たちは皆、今でもここで戦っている。サイヤ人の戦いを続けている。私はこうしていていいんだろうか。いつかアカデミズムの世界から取り残されてしまうのではないか、という不安が筆者の脳内を支配するようになった。

筆者は、穏やかで優しい職場の中にあってひとりギスギスしていて、異質で、とても感じが悪かったのではなかろうかと思う。ここの人たちともっと違った出会い方ができていればといつも悔やまれる。

この不安は、全く別のところからも折に触れて感じられた。母校の助教時代には、大学院を出たばかりの若造である筆者のような者のところにも書店や保険会社の営業がよく来ていた。不動産投資の勧誘電話もしょっちゅう来ていた。ほとんど話を聞くくらいの付き合いしかなかったが、大学教員とはすごいもんだなあと感心したものだった。それが、前任校に移ってからはパッタリとなくなった。営業がなくなると仕事に集中できてありがたくはあったのだが、なんだか世間から忘れられてゆくような感じもあった。ああいう人たちは大学の名前で機械的に網にかけているのだということくらいはわかっていたが、そうだとするとうちの大学はそもそも対象にすらなっていないのか、と不愉快な気持ちになったりもした。

今の職場に移ってきて、再び書店の外回りの訪問を受けるようになったし、やり取りのなかった書店からのＤＭが届くようにもなった。理解はするが、やはり複雑な気持ちである。

求められていないと知りつつ勝手に研究する

そのような不安や焦りを払拭するために、筆者は我を忘れて史料に向かった。誰からも求められなくなったのであれば、却って好き勝手なことができると開き直った。ちょうど助教時代から抱えていた論文集の原稿のための調査にかこつけて、品川弥二郎の京都・尊攘堂における人的ネットワークの研究に集中的に取り組んだのはこの時期であった。

筆者は、授業や学務の合間を縫って、尊攘堂への寄付者名簿をしゃぶり尽くした。寄付者の経歴や肩書を徹底的に調べ、実業家についてはその資産分析をし、よくわからない人については党派性や維新期のつながりまであらゆる史料にあたった。図書館の蔵書はあまり多くはなかったから、助教時代のようにほしいものが望めばすぐに借りられる環境ではなくなったが、その分燃えた。国立国会図書館デジタルコレクションと大学図書館の相互利用サービスを最大限に活用し、計画的に複写・借用依頼をかけた。なかなか手に入らないと思われた史料は、複写して何度も何度も読み込んだ。

同時に、品川弥二郎の京都での足跡を日記や新聞から可能な限り追いかけた。品川弥二郎への狂信的な執着に気持ち悪さを感じることもあったが、気持ち悪くなればなるほどに快を感ずるという危ない境地を知ってしまった。この快感が筆者の求める「笑い」の原点であったように思われる。

母校の先輩兼友人との会話は、筆者にとって心の支えであった。彼女は、どんどん気持ち悪くなってゆく筆者に引くこともなく、（良い意味で）もっと気持ち悪い同業の先人たちの話をたくさん聞かせてくれた。

前任校は、かつてはまだ学問的雰囲気があったという。筆者が着任した年度を最後に退職された先生の話では、創立後しばらくは東大や京大を退職した先生がキャリアの最後に来るような、のんびりと、しかしそれなりに学問的な空気のある環境であったようだ。そのことは、かつての教授陣の顔ぶれを見ても首肯された。筆者は、ベテランの先生方のお部屋や史学研究所にお邪魔するときだけ、まだ辛うじて残るそのような学問的雰囲気を感じられるような気がして好きだった。ベテランの先生方から、そのお部屋から、史学研究所から、学問的雰囲気のハウスダストを浴びるようにして、少しも逃すまいとしていた。思えば、これほどまで学問的雰囲気を渇望したことはなかった。長い時間を通学に費やし、アルバイトに明け暮れていた学部・院生時代でさえ、大学に属しているというだけで学問的雰囲気は感じていられた。

筆者がいかに学問的雰囲気を渇望していたかということを感じていただくためによくする話だが、筆者はその当時映画『ジュラシック・パーク』シリーズを観てよく泣いていた。大衆娯楽映画ではあるが、作り手は明らかに学問的雰囲気を随所に閉じ込めていた。劇伴からも、その意識を共有していることが感じられた。その雰囲気が顔を出すたびに、もう手に入れることが難しくなったそれを思って涙が止まらなくなるのであった。もう一つ、この時期筆者が読んで学問を思い涙が止まらなくなった書物がある。ハラルト・シュテュンプケことゲロルフ・シュタイナーによる『鼻行類』であるが、この話はまた後程触れたい。

そうこうしているうちに、母校の「読史会」というOB組織から、年に一度の大会での報告の依頼がきた。せっかくの機会なので、このいい具合に気持ち悪く仕上がった成果を見せて悲鳴を上げさせようと、なぜかその時思いついてしまった。その時筆者は、「品川ポイント」なる未熟なもので人物を数値化して長大な表を作っていた。後に「品川マトリクス」として発表するものの初号機である。今から思えばお粗末なものではあったが、参加者を唖然とさせるという意味では大成功であった。もしかするとあまりにお粗末で声もなかったのかもしれないが。

その後、ありがたいことに明治維新史学会からもお声がけをいただき、ここでも年に一度の全国大会で報告させていただくことになった。ここでも例の「品川ポイント」を改良して披露したところ、やはり半笑いで呆れられたりした。

フロアからの「何なん……？　こいつ馬鹿なん……？」という空気を総身に感じて、

（これこれぇ～こういう反応欲しかった～）

と良い気になったが、討論時間が長かった分それなりの改良意見も頂戴した。やはり視認性がよくないということで、たくさんの人物間の関係をもっと視覚的に効果的に見せる工夫が必要であると痛感した。そうして様々に工夫してできたのが、「品川マトリクス」である【池田二〇二三】。

今、これの利便性を更に向上させ、様々な指標で作成した品川マトリクスを統合できる方法を考案し、その実現に向けた準備を進めている。筆者にとっては初めての経験であるが、デジタル・ヒューマニティーズに足を踏み入れる予定である。

メタモルフォーゼの二年間

今進めている研究や活動は、全てこの二年間の中で着想を得たものばかりである。現在の職場は、かつてあれほど渇望していた学問的雰囲気を必死に探し求めてわざわざ吸いに行かなくてもそこら中で手に入る。取り残され不安も全く感じなくなった。しかし、今やっていることは全て前任校の遺産を食いつぶしているだけなのではないかと思うことがある。それほどまでに、前任校での二年間はアイデアが湯水のように湧いてきた。毎日毎日、生の実感があった。それでも、アイデアは実現されなければただのアイデアのままなのだから、今やっていることには意味があるのだとも思うようにしている。

弥二郎の追っかけをしながら、先輩兼友人に気持ち悪がられつつ駄弁（だべ）る中で、「品川弥二郎はいつ頃から『やじ』と自称するようになったのだろうか」とふと気になり始めた。

「あれってキャラですよね？　絶対どこかであいうキャラ作りをし始めたわけですよね？」

「そうだね～カエサルもそうだったしね～」

みたいなくだらない会話をする中で、新たな研究の種が芽を出した。筆者の研究は、こんな具合でどんどんくだらない方向に傾いていった。このほかにもあと三つか四つはくだらないネタが生まれた。早く世に出したくてうずうずしている。

そんなくだらない研究をしても、怒る人はどこにもいなかった。期待されていない分、あれこれ目くじらを立てられることもなかった。むしろ、授業ではこんなくだらない話の方がはるかにウケがよかった。

「構造」とか「秩序」とか「権威」とか「思想」とか、抽象的な話はなかなか理解してもらいづらかった。説明のための言葉を説明し、更にその説明のための言葉を説明するうちに、九〇分の授業などあっという間に終わってしまった。石がそこに積んであったら、「石が積んである」。それ以上の意味を考えることはしない。もしそれが、自分の通行の邪魔になっているなら、初めてどこかに退けようとか考える。でもそんなこともない限り、その石は彼らにとっては、ただ「積んである石」以上の意味は持たない。そんなことに何の意味があるのか？　そんな風に考える人たちが大半であった。

だから、なるべく彼らに関わりのある日常的で具体的にイメージできるテーマで、しかし学問とは何であるのかが知らず知らずのうちに伝わるような研究をしようと考えた。一方で、学界から取り残されてゆくのはやはり辛かったので、日常的・具体的でくだらなそうに見えて、学界でもある程度戦える研究に「軍事転用」できるテーマにしよう、という打算的な考えも捨ててはいなかった。

こんなことをあれこれ考えている間だけは、ちっとも辛くはなかった。誰かに「お前はほんまにアホやなあ（笑）」と呆れられたり、「キモいって〜（笑）」と悲鳴を上げられたりしながらも、最後についているこの「（笑）」が筆者の活力であった。そんな「（笑）」を生み出す研究ができると考えただけで、生きる力が漲って漲って仕方がなかった。「笑い」は明らかに、筆者を生かしていた。

しかし、筆者にできる研究は限られていた。せいぜい年に一本書ければよい方という歴史学の世界で、毎年の授業に使うためのネタは、必然的に外から探してくるしかなかった。「これはいつか枯渇する」と思った。いお倉誕生につながる、一つの源流であった。

平山昇先生の「笑」撃実践

いお倉につながるもう一つの源流は、現在いお倉の顧問をしてくださっている平山昇氏（現・神奈川大学国際日本学部准教授）との対話の中で生まれた。

筆者が前任校で不安と焦りの中にいた時期、たまたま『日本史研究』、『史学雑誌』という二本の一流学術誌に相次いで掲載された、平山昇氏による書評に接した。平山氏とは、筆者が母校で助教をしていた頃から、共同研究班でご一緒する仲であった。院生時代、アルバイトばかりしていて不勉強であった筆者は、平山氏の前でろくな話はできなかったから、平山氏においてもそれほど印象に残る存在ではなかったと思う。しかし、それなりの年月をともに研究班員として過ごす中で、お互いに研究の話やくだらない話もできる関係になってはいたと思う。

第一部で少し触れたが、学術書の書評とは怖いものである。ただのブックレビューではなく、ガチで批判する。平山氏の書評も学術書の書評である以上、そのようなものではあった。しかし、平山氏の書評は「平山節」ともいうべき独特の文体で、真面目に読んでいると突然笑いを取りにくるから油断ができなかった。気づくと、一本の書評でツカミが四つも五つもあり、腹を抱えながら一気に読み終えていた。あとがきや著書で笑える文体というのはたまに目にするが、書評でここまで笑いを取れるのは平山氏をおいてほかにはないと思う。

最初の書評を読んであまりに感動したので、発作的に平山氏に感想をメールで伝えた。その後メールのやり取りが何往復かあったと思う。話題が筆者の所属大学のことに及び、平山氏の前任校と似た雰囲気があるとの話になった（ちなみに平山氏の前任校はたしかに偏差値帯でこそ似通っていたが、キャンパスの規模を見ればはるかに羽振りが良かったように思われた）。

その当時、不安と焦りと違和感に支配され、思考がぐちゃぐちゃになっていた筆者をあまりに不憫に思われたのか、平山氏は前任校での授業実践と現職場での実践についての話をしてくださった。

平山氏は、「やんちゃな学生たちに少しでも歴史学に興味を持ってもらうために、「酒、タバコ、スポーツ」の話を徹底したという。すると歴史なぞには毛ほどにも興味のなさそうであった学生たちがそこだけ異様に食いついて、いつしか授業に前のめりになってくれるようになったという。今では何人かの学生が調査旅行に同行してくれるまでに信頼関係を築いているそうだ。ちなみにいお倉のＷＥＢサイトに掲げてある泥酔状態の平山氏の写真は、調査旅行の中でその学生の一人が撮影したものであるという。平山氏が彼らといかに信頼関係を築いてきたかがうかがえる一枚である。

平山氏の現職場での実践はさらに具体的でわくわくするようなものであった。当時はコロナ対策で全面オンライン授業という状況であったが、その中で少しでも学生に楽しんでもらうようにとの工夫があちこちに施されていた。

平山氏の授業レジュメでまず驚くのは、学生のコメントとそれに対する平山氏のリプライ（ツッコミ）が大半を占めていることであった。むしろ本題の歴史学のお話は最後の方に少しあるのみである。

この授業では、毎回学生に授業のコメントを書かせる。ここまではどの授業でもやっていることだが、ここからが平山流の真骨頂である。学生のコメントは全て平山氏なりの基準でレジュメに配列し、それに対するツッコミを入れていく。さながら、ラジオリスナーのお便りに対してお返事していくパーソナリティーのようであった。学生のコメントも、その雰囲気を感じてかかなりフランクで、真面目な質問よりも日常的、私的な話題も目立ち、平山氏との会話を楽しむようなものばかりであった。しかしその中でも確実に、授業の内容が伝わっていると感じられるコメントもあり、彼らが平山氏との会話を楽しみながら知らず知らずのうちに歴史学を学んでいっていることがわかった。

平山氏の工夫はこれだけに止まらない。学生の次のコメントを見ていただきたい。

（前回）（182）（もんもんさん）秘密の暗号が見つからないとイライラしてくる！

★イライラしてくると、ますます見つかりにくくなる!!……落ち着いて音読しましょ。(35)(かとぅーてぃーがさん)(182)(もんもんさん)今回のほうが僕はイライラしました。もんもんさんはどうでしたか。笑

平山氏のレジュメには、このように「秘密の暗号」を探す学生の声が多数見受けられた。

実は平山氏のこの授業はリアルタイムのオンライン授業でもオンデマンドによる動画配信型授業でもなく、資料配布型の授業であった。資料配布型とはあらゆる非対面授業の中で最も不満が多く、最も「面白くない」とされる授業であったように思われる。しかしその中で、ここまで学生を惹きつけていたのはひとえにこの「秘密の暗号」の成せる技であった。

平山氏は、単に授業資料を読ませるだけでは学生も手を抜きたくなるし、理解度も上がらないうえに、興味もそがれると考え、資料の中に毎回「秘密の暗号」を潜ませたのだ。学生はそれを探しながら、資料を読む。どこにあるかわからないから、必死に資料を読む。その秘密の暗号は、授業後のコメントを提出するための条件でもあった。学生は、必死で見つけた秘密の暗号がなければ、コメントを提出できない仕掛けであった。

ただただおそろしい人だと思った。多くの教員が、必要に迫られて嫌々ながらにこなしていた（と思われる）非対面授業を、ここまで面白くできてしまうのかと、圧倒された。そして、その授業が実際に「面白かった」ということは、学生から寄せられたコメントの反応を見ていても十分伝わってきた。学生も教員もノリノリであった。

ちなみにこの授業には「おまけ」もあった。コメント返しだけでは物足りない学生のために、平山氏とのオンライントークの時間が設けられており、学生はお菓子を食べたりしながら平山氏と駄弁ることができた。教員の部屋に行くことも難しかった当時、学生にとっては教員や学生との貴重な対話の時間であったことと想像される。

アイデアと工夫次第で、どんな環境でも楽しくすることができる——平山氏の実践は、暗い海の中で溺れそうになってもがいていた筆者にとって、水中に差し込んだ一筋の光のように思われた。おそろしいくらいに勇気が湧いてきた。

筆者は早速、その次の年度の授業でこの方式を借用させてもらうことにした。筆者の場合はオンデマンド授業であったが、授業の内容をしっかり聴いてもらうために、スライドではなく口頭で「秘密の暗号」を伝えることとした。この暗号を聞き取るために、学生は何度も繰り返し動画を観る。その中で、自然と授業内容が身に付いてくれる……かどうかは実のところわからないが、実際その後学生から提出されたコメントを見る限り、半分以上の学生には伝わっていたことがうかがえた。中には、毎回二〇〇〇字近い考察を書き込んでくれる学生もいて、読むのはそれなりに骨が折れたが励みになった。

この授業を通して年間八〇人を超える学生とやり取りしたことは、たいへん大きな気づきにつながった。その気づきの幾分かがいお倉を創るもう一つの動機となった。

調子に乗って「笑い」に自覚的になる

以上のような、研究・教育の両面における実践は、それぞれ別個の関心に発するものではあったが、次第に筆者の中で一つの意味を持つつながりとして知覚されるようになっていった。

職場の外で繰り広げられているサイヤ人の戦いに参加しようとしても、今の自分の環境や持てる武器ではとてもそこにはかなわない。かなわないと知りつつ参戦することにも意味はあるだろうが、心が苦しくなるだけだ。それならば、誰にも期待されていないこの状況を逆手にとって、純粋に知りたいことを追究しよう。アカデミズム史学の世界での評価などは気にせず、本当に知りたいことだけを追究しよう。そんな研究が誰かを笑わせることができるならば、こんなにハッピーなことはない。堂々と胸を張って生きていられる。授業でも、楽しげなおもちゃに見せかけてこっそり「学問」を盛り込もう。そうすれば、学問的雰囲気が求められていない授業の準備にもモチベーションを持って取り組むことができる。そんな気持ちで始めた仕事は、筆者に少年のような、オタクのような、学問が生まれる原初的な欲求をもたらした。

そしていつか、この実践の中で得た確信を、同じような境遇にある全国の研究者たちにも伝えたいと思うようになった。そして同時に、このような感覚を抱いている研究者がたくさんいるのだということを、このような感覚を味わう必要のない研究者たちにも伝えたいと思った。

その「確信」とは何か。「『笑い』の学問」という観念連合である。「笑い」が学問にもたらす力をもっと見てみたい。それをもっとたくさんの人にも知ってもらいたい。そのように思うようになってからは、同類の先達の実践がどんどん目に入ってくるようになった。

しかし思えば、筆者がこのような考えに至ったのは必然であったのかもしれない。このように考えるようになってから意識的に接するようになった人びととの実践には、今まで目に留まることもなかったようなものもあったが、これまでに既に出合っていたものたちとの再会のほうが圧倒的に多かった。

そこで、最後の章では、筆者が「『笑い』の歴史学」の実践者として自覚的になってから触れ、考えた様々な先達たちの歩みとともに、この実践をもう少し理論化してみたい。そして、そうすることを通じて、この実践の未来を展望してみたいと思う。

第三章　「笑い」を真剣に考えてきた学者たち

「怒りエネルギー」を動力源として発展してきた歴史学

この本の冒頭で、歴史学は「『怒りエネルギー』を動力源として発展してきた」と述べた。このことをご理解いただくために、戦後日本における歴史学の歩みを少し見ていきたい。

戦後日本の歴史学、アカデミズムの世界ではこれを「戦後歴史学」と呼ぶが、戦後歴史学は先の大戦への「反省」を色濃くまとった学問であった。理論的にはマルクス主義の唯物史観が借用され、日本独自の展開をみた。

古くは一九三〇年代以降に本格化した近代日本史研究に起源を持ち、近代日本に対する批判的意識を根底に持つ点が特徴である。具体的には、天皇制による近代日本の形成を「歪み」と見なし、その問題を明らかにしようとするものであった。その批判は、西洋との比較から日本近代を「封建的」「絶対主義的」であると断罪するものであり、日本がいかに「遅れ」「歪んで」いたかということを論証することに意が注がれた。

もちろん、歴史的にも文化的にも異なる西洋と日本において、しかも様々な複雑な因子が絡み合う中で、このような単純なモデルから全てが説明できるわけではなく、その後史料の公開が進むとともに進展した実証主義史学からは強い批判を向けられることになるのだが、この戦後歴史学の影響は非常に息が長く、二〇〇〇年代頃まで残存していたように思われる。

戦後歴史学では、このような観点から為政者の批判が展開される一方で、過去に存在した「民主化」の可能性やその担い手は高く評価され、「発掘」が進められた。近現代史を例にとると、維新の志士たちや自由民権運動の闘士をそのように捉える研究が好んでなされた。

ここに、一九六〇年代以降は新たなレイヤーが生まれる。「民衆史」と呼ばれるものがそれである。これは、歴史を一部のエリートだけではなく、無視され、あるいは差別を受け、虐げられた民衆たちにまで目を向けて、彼らの観点から歴史を描くことを主唱する立場である。ちょうど市民運動や住民運動、学生運動などが高揚した時代状況を反映して生まれてきた発想であると考えられる。

一見して、戦後歴史学と何が違うのかと思う向きもあるだろうが、民衆史家にとっては戦後歴史学ですらまだ「エリート」史観なのである。志士や民権の闘士などでさえやはり知識と教養を持った「指導者」の側であるに違いはなく、彼らによってただ導かれるままの、あるいは導かれることもなくただただ日々の暮らしにあくせくしているだけの「民衆」なるものがもっと広範に存在するはずであり、そうした人びとには独自の思想や世界観があるのだと考える立場である。

同時期、海外において「アナール学派」と呼ばれるグループが「社会史」という一つの大きな潮流を生み出していた。「アナール」とはAnnales、すなわち「年報」の意味である。彼らの機関誌の名前からこのように呼ばれる。

アナール学派は歴史上の大きな事件（その多くは政治史的、軍事史的現象）を中心とした従来の歴史学に対して、人間の生活や文化、民俗的な領域までを含めた広い社会的事象を視野に入れた歴史学を提唱した。一見して、日本の民衆史とよく似た動きなので、民衆史にはアナール学派の影響があるように思えるかもしれないが、民衆史はあくまで日本で独自の関心から個別に発展したものである。しかし、両者は親和性が強く、これらをともに吸収した研究も生まれている。

こうした異なる二つのレイヤーが共存しながら戦後の日本史学は発展してきた。しかし、まだこの段階では統治者・為政者は批判し、断罪されるべき存在であって、興味を抱いて研究しようという人が積極的にそれを口にしづらい環境があったと思われる。

その中から、一九九〇年代頃から更に新たなレイヤーが加わってくる。海外に始まったポストモダンの影響で広まった「近代」の再検討である。この立場は、国家や軍隊、学校などの機関や制度から、自由や平等、権利や民族といった思想にいたるまで、およそ近代に「創られた」ものの全てを批判的に見る。これはちょうど、公害や環境問題、南北問題など、「近代」的発展の負の側面が世界的に可視化されるようになった時代的背景と対応している。

この立場からは、歴史学は、時代状況から決して自由ではないことがおわかりいただけたであろう。戦後歴史学では、戦後歴史学もまた「近代化」を理想視するものであり、批判の対象となる。戦後歴史学では、戦前日本を西洋と比べて「遅れた」「封建的」で「非民主的」なものという論法で否定するのが特徴であった。しかし、ポストモダンの立場からは、そのように西洋近代を「目指すべき理想」と見なす考えそのものが間違っているということになるのである。

このポストモダン的潮流は、歴史学に限らずあらゆる学問的・思想的潮流を指して言う言葉だが、歴史学では特に「国民国家論」という大きな学問的立場を生み出した。「国民」

「国家」という枠組み自体、自明なものではなく、近代になって「創られた」ものである。だから、「国民」「国家」という枠組みで描かれてきたこれまでの歴史学はいったん解体し、そこから排除されてきたものまでを視野に収めて描く必要がある、と考えるのである。

ざっくりした粗々解像度では、戦後歴史学も民衆史もポストモダンも全て同じ穴のムジナの兄弟げんかのように見えるかもしれないが、その内実はかなり異質であり、やはりそれぞれが一つの歴史認識として区別できるものなのである。ただ、国民国家論のレイヤーが加わった段階でもなお、「近代」を強制してくる国家権力は批判的に検討されるべき対象であった。

批判と怒りはもちろん厳密には違うだろう。しかし、筆者にはその批判は時にやや冷静さを欠いているように見えることがあった。そのような学界の雰囲気は、「怒り」のように見えた。そのような「怒り」から発した研究に対して、アカデミズム史学の外のイデオロギーの世界からまた「怒り」が返ってきているのもまた目の当たりにした。筆者には、「怒り」がとにかく非生産的なもののように見えて仕方がなかった。

「怒り」への疑問

筆者が大学に入学した二〇〇七年から二〇一一年という時期のアカデミズム史学は、戦後歴史学、民衆史、社会史、国民国家論といったような複数のレイヤーが重なり合う中で、新たな潮流が生まれようとする裂け目であったと言いうるだろう。大学や地域によっては、このようなレイヤーの全てを疑い、実証史学の隆盛の中で為政者や支配者集団の側の実証的研究が進んでいたように思う。しかし、筆者が入学した京都大学文学部の日本近代史は、まだまだこれまでに話してきたような主要な三つないしは四つのレイヤーが支配的な環境であった。

筆者は大学に入る直前から「宮中のことがやりたい」と目標を定めており、研究室に入ってからもそれをずっと公言していた。しかし、そのたびに「そんなことやって何になるんだ」「つまらん」というような反応が返ってきた。支配者集団の研究をするのは「つまらない」ことなのだそうだ。筆者には、何が「つまらない」のか全くわからなかった。単純に面白いと思っていたし、今まで「つまらない」「意味がない」とされ放置されてきたがゆえに、支配者集団の研究にはまだまだ未開の沃野(よくや)が広がっているように思われたからである。

否定されると「なにくそ」と思ってしまう性質だった筆者は、却って反動的になり、戦後歴史学や民衆史的なもの、国民国家論的なものの全てを極端なまでに拒否する最硬派となってしまった。その当時筆者は、ややもすれば学問的な態度から外れてしまいかねないほどに攻撃的な態度で先行研究を批判するスタイルに傾き、指導教員や先輩らから何度もたしなめられていた。

当時の指導教員は、特にアナール学派や民衆史、国民国家論に大きな影響を受けていたように思う。とはいえ、京大文学部の日本近代史は構成員が少なすぎて、さながら新興大学のゼミのようであったから、筆者は放流され、前近代史の先輩や他専攻・他学部の友人、そして古今東西の本たちが友達という学生生活を送る中で、どんどん異分子となってしまったように思われる。

筆者は、その当時から明治の政治家・品川弥二郎に独特の感情を抱いていた。品川は一時期宮中にも在職していたことがあったから注目して追いかけていた人物であった。品川弥二郎といえば、当時使われていた高校教科書では「選挙干渉をした人」として登場するので、日本の政党政治の発展にとっては「ヒール」的存在である。高校で日本史を履修していない人や、履修してもその効果が十分でない人の方が多いので、世間的には品川弥二郎は無名に近いのだが、京大に来るような学生のほとんどは品川について、このようなよくないイメージを抱いていた。

しかし、筆者はこのように最硬派でもあったうえに、もともと漫画やアニメ、テレビドラマなどでは必ずヒールやヴィランの方に惹かれるお子様であったから、叩かれれば叩かれるほど品川を愛おしく思った。品川だけでなく山縣有朋（やまがたありとも）、「山縣閥（ばつ）」といった近代日本における「ヒール」とされてきた人たちをもっと知りたい、彼らをそのままに愛でたい、との欲求はますます強くなっていった。

歴史上の人物を「好き」になること

筆者のインタビューを朝日新聞でご覧になった読者の中には、「特定の人物を『好き』という理由で歴史学を研究するなんてけしからん」とか、あるいは「特定の人物を美化したり極端に持ち上げたりするのはけしからん」と思われた方もあるのではないかと思う。というのは、実際筆者はこのようなことをこれまでに何度も言われてきたからである。

しかし、筆者は別に品川を「好き」ゆえに美化しているわけでもなければ持ち上げているわけでもない。「選挙干渉はなかった」論に取り込まれてしまったとかいうわけでも全くない。清濁併せ呑んだうえで、その人間性をまるっと愛おしく思っているのである。たぶんこの辺の感覚は、「好き」ということの捉え方が異なると理解されにくいのだろうと思う。世の中の多くの人は、美しいとか、優しいとか、誠実であるとか、正義漢であるとか、そうした一般的に共有されている倫理的・道徳的な美徳を「好き」と感じるのだと思う。しかし筆者はちょっとひねくれていた。もちろん、そうしたものを好ましく思う感情がないわけではない。筆者とて人並み以上にそのようなものを好ましく思う自覚はある。しかし一方でまた、一般的には眉をひそめられるような人格に対しても、その人間性という観点から「興味を抱く」のである。この「興味を抱く」というところが、筆者の言う「好き」なのである。

だから、品川の黒歴史を隠して美化しようとかいう意図は全くなかった。選挙干渉は、筆者がいつか取り組まねばならない問題であると認識しており、今も少しずつ史料を集めてない知恵を絞って取り組んでいる。力が足りないので研究に時間がかかっているというだけの話である。

筆者は、一般的に否定的な評価の強い研究対象の事蹟を隠すことも美化することもせずに、「楽しく」研究することは可能だと考える。通常の感覚ではないかもしれない。ただ、学者とはそういうところがある生き物ではなかったか？　と思う。筆者は、高校の古典の教科書に載っていた話で、不動明王（ふどうみょうおう）を描くために自分の家と娘を燃やしてしまった絵師の話が異様に印象に残っている。サイコな話だが、研究者というのも本質的にそういうところがあると思う。

　ふつうの人情では「酷い」「悲しい」「つらい」という対象をも、直視して「面白い」と感じてしまう。ちょうど不治の病にかかった医学者が、その末期に苦しみながらも自分の病状に興味を持って分析し始めるようなものだと思う。政治は、時に自らを苦しめる。しかし、そのような「病」として冷静に見ていくことで、だんだん「面白く」なってくる。筆者は日本の近現代史に向き合う時、戦場におけるアドレナリン過放出のような極限的な興奮状態を味わうことがある。

　それは政治の「病」を覆い隠すこととは違う。政治の「病」を「病」として治療しようとする「医療者」はいなければならない。しかし、それを面白がって分析する「基礎研究者」もまた、いなければならないと思うのである。

ゴムゴムのやじ

筆者が思う品川の最大の魅力は、史料から隠しきれないほどにダダ漏れする人間味である。自分のことを「やじ」と呼ぶかわいいおじさんであったことも大いに与かっているだろう。しかし、「やじ」だけが品川の魅力ではない。品川は真面目な話題の書簡の中でも、いつもちょっとだけふざけているのである。仮に品川が「民主主義を破壊する反動的政治家」であるならば、それはそれで最高にサイコで面白いじゃないか。もしそうでないならば、やっぱり単なる「かわいいおじさん」で普通に面白いじゃないか。いくつか例を挙げたい。表記は読みやすさを考慮して、適宜改めた。

①二十四日夕刻ゟ夜六字には終に互撫（ごむ）もすりきれ……

（明治二三年一二月二八日付井上馨宛品川弥二郎書簡）

②明朝は山縣（有朋のところ：筆者註）に行き又々互撫（ごむ）にならねばならぬ……

互撫（ごむ）に生れた

因縁因果

ソコデ寒念

佛庵主

去年〔明治二二年：筆者註〕十二月二十四日、山縣、条公〔三条実美：筆者註〕に代り当職〔総理大臣：筆者註〕を奉じ、一昨年十二月二十三日は保安条例発布〔原文ママ〕、今年十二月二十四日は互撫（ごむ）がすりきれ、漸くにして火事を大木戸で消し留めたり

〔明治二三年一二月日付不明井上馨宛品川弥二郎書簡〕

③御待遠（おまちどお）の御情実恐察に堪え不申候得（もうさずそうらえ）ども、役者揃わぬ時は芝居もできず、舞台の廻る時になく而（て）は互撫（ごむ）の用もなし

〔明治二四年四月二七日付山縣有朋宛品川弥二郎書簡〕

何の話をしているのか全くわからない方が大半であろうが、一つずつ見ていきたい。

①②は、明治二三年（一八九〇）末の書簡である。この時、日本で初めての議会が開かれていたが、「商法及商法施行条例期限法律案」（商法延期案）が衆議院に提出され、紛糾していた。商法施行は日本が西洋列強との不平等条約の改正という維新以来の悲願を達成する

うえでも重要な法典であった。西洋諸国は、商取引に際して西洋並みの法制度の整備されていない国をまともな文明国と認めてはくれない。まともな文明国と認めてもらえなければ、条約改正はおぼつかない。

商法はそのような課題の中で、当時の司法大臣山田顕義が議会が開会するよりずっと前から調査し、苦心の末に起草していたものであった。山田にとって商法施行は悲願であった。そしてその悲願の商法施行は、この翌年元日に控えていたという状況であった。したがってそれが延期となれば、山田の苦労も水の泡である。山田は怒って辞表を提出し、引籠ってしまった。

その山田を引っ張り出すために、あらゆる人が百方手を尽くしたが、どうにもならなかった。そこで品川が自ら「ゴム」になってやるしかない！　と決意を固めて説得に乗り出したが「何の成果も得られませんでした！」という場面の書簡が①である。

「ゴム」というのが何の比喩なのかわかりにくいが、文脈から考えて、人と人を円滑につなぐ存在、というほどの意味であると推察される。それが「すりきれ」たというのは、「だめでした」ということである。そして最終的には大木喬任枢密院議長の説得で山田は折れて辞表を撤回したのだが、①にある「漸くにして火事を大木戸で消し留めたり」とはそのことを表している。品川の「ゴム」が擦り切れて発火した後、大木がやってきて鎮火した、ということである。

②の戯れ歌は、「寒念」が「観念」（あきらめる）と虚しい（寒い）思いをかけたものと思われ、次の「佛庵主」とつなげて「念仏庵主」（念仏庵は品川の別荘の名。念仏庵主は品川のこと）と判じられる。

品川はその後もこの表現を好んで用いるようになる。③は、また別のシーンである。これを読むと「ゴム」の意味がより深くわかるようになる。第一次山縣内閣末期、山縣の後任首班選定問題で品川が諸方を周旋していた頃の一節である。品川はここで、政界を一つの「芝居」「舞台」に、山縣や伊藤博文などの藩閥指導者らを「役者」に見立て、彼らが動き出さなければ「互撫」としての自分の出番もないと表現している。この部分からは、品川がいう「互撫」とは舞台を円滑に回す部品としてのゴムを指していたことがわかる。すなわち、品川は政界を裏から（下から）支え、潤滑に回していく地味だが重要な役回りを自認していたのである。

筆者はこの書簡を「言いたいことはわかる。わかるけど、『ゴム』って……（笑）」と突っ込みながら読んでいた。敢えてそこを「ゴム」と言わなくても言えるような内容である。

しかしそこを「ゴム」と言ってしまうところが「やじ」なのである。そして一度使って気に入ったのか、その後もあらゆる話を「ゴム」で通してしまうのが「やじ」なのである。筆者は史料を収集する中で、この「ゴム」書簡を複数見つけていたのだが、論文の中で誰もこれを取り上げていないことに気づいていた。「まあそうだろうな」とも思った。使いにくいからである。

しかし同じような変わった表現を使った書簡が複数存在するということは、品川という人物を考えるうえで何程かの意味を持つということでもあると思った。そこで、ありったけの「ゴム」書簡をかき集め、字数の制約の比較的緩い単著でそれを検討してみたりもしたので、興味のある方はご覧いただきたい【池田 二〇一九①】。

ふんだんな比喩表現

次の書簡は、明治三〇年（一八九七）一一月二一日付でやじが安達謙蔵という人物に宛てた書簡である。安達謙蔵は熊本出身で、やじより二〇ほど歳は若い。当時やじの結成した政党・国民協会に近い政治家であった。やや引用が長くなるが、まずは現代語訳なしでやじワールドの一端を堪能していただきたい。引用に際して旧字・異体字は常用漢字に、仮名はすべてひらがな・現代仮名遣いに、そのほか候文独特の表現は読みやすく書き改めた。引用末尾に現代語訳も付しているので、自信のない方も安心してほしい。

山田〔山田信道：筆者註〕昨朝来京、久々振りに緩りと東西の談を致し、誠に安堵仕候。何分にも筆先きにては何の意の尽さざる所多く、山田の上京東西の電話多謝〃〃。君主内閣主張の舌根未だ絶えず、殊に覚書の墨の乾かぬ中に自由党の要求を入れて樺山〔資紀内務：筆者註〕大臣直接談判、朝野の騒ぎ言語に断え申し候。何卒やじ一人が頑として何事にも賛同せざりし事を御推察くださるべく候。

大浦〔兼武熊本県知事：筆者註〕ももはや若芋は親芋に劣ることを観破してくれずては困るなり。御序もあらば御話し置きくださるべく候。

〔中略〕

清浦〔奎吾司法大臣：筆者註〕が大江広元の称を得て、得意で働らき、其の実大事なことは親芋、若芋四五人にて決定、其の決定したることを施行するにはいつも他人の手をかりて遣る、其の手の一人に使用さるることは知らず、得意顔になりて必死に馬鹿なことの小細工のみして、山翁〔山田信道：筆者註〕を甘く前に立て、安翁〔安場保和：筆者註〕

を御機嫌損せぬ様にと後ろに据え、得富(ママ)〔徳富蘇峰内務省参事官：引用者註〕勅参は参謀官気取りにて我物顔になりて働らく浅間しさ、何とも気どくの至極なり。山翁に気どくに堪えぬは逆児(サカゴ)と称する〔大臣より先に生れたる故〕奥田〔義人(よしと)農商務：筆者註〕次官なり。義理も友誼も構う男にはこれなく、改進臭味の上手ものにて高嶋(ママ)〔鞆之助(とものすけ)拓殖務大臣：筆者註〕の御気に入りとなりて八方に働らき居るなり。七十に近き山翁を清浦坊主の踏台とせられて山田翁の老体を汚す様なことをさせては相い済まずとそれのみ心ひそかに心配せり。〔中略〕

○天涯の飛信は必らず再三東京より発したる事と察せられ申し候。老兄の一身上にとりては誠に悦に堪へず。心閑(しずか)に養生の時を得らるべし。○○〔原文ママ：筆者註〕の為めには一二ヶ月早きかと少しく残念に堪えぬなり。併しながら人生の事、緩急前後など申すことは事の経過した上、可否の決定した後ならでは断じらるるものにこれなく候間、無事健全、早く帰来は御互に歓喜〃〃。

清浦坊主は坊主らしくしておれば伴食なりとしらぬ顔して司法省丈けを荒らされぬ様に籠城して居る。智恵のなかりしは残念〃〃。

○勇往猛進、洞峯(ほらがみね)据え附けの大炮銹(さび)払いの好時機と存じ候。これは先書にも申し上げ置き候通り、一人になりても発火する覚悟に安心致し居り候間（あいだ）、天涯の珍客帰来するも（ビーフステーキを数月間喰うて居ると兎角妙な気になるもの。富嶽の山風に吹き覚さるるの間はどの様なる人物にても意見違い勝ちのものなり）変更は仕らず候間、此の段御承知置きくださるべく候。何より第一要務は「命が物種」と申す事御忘れなく、向寒の節御愛養専要、祈り奉り候。

草々頓首

明治三十年十一月二十一日　やじ

安達様

本文図らす清浦の悪口を極めしも、政友として見捨はせぬ。この男が悪いとて敵にすれば天下に政友なし。唯々熊府の士の特色を今日の大臣位置にありて顕はす事の出来ぬ哉と、清浦政友を思うの一念より本文の悪口を吐くなり。心事御推察あれ。世人が芋を喰う事を知って喰わせらるる事を知らぬ先生方が多きには気どく〃〃。やじ等は維新前、国事の騒ぎ初めより喰わせられとうしてよく味を知って居る故に何とも思わ

ず。唯々万事見聞して笑って居るのみ。（折々泣キもスル）

例の乱雑なるやじ流の此の手紙、御推読の上、御病気の御慰みの一端にもならば幸いなり。

【現代語訳】

山田信道が昨日の朝上京してきた。久しぶりに東京と関西の近況について話をし、たいへん安心した。とにかく手紙だけでは思いを十分に伝えられないことが多々あるので、山田の上京や、東西の電話がありがたい。

「君主〔主義的〕内閣」を主張する舌の根も乾かない内に、特に「覚書」の墨も乾かぬうちに、自由党の要求を入れて樺山資紀内務大臣は直接談判し、朝野の騒ぎは言語に絶するようになってしまった。どうか、やじ一人が頑としてなにごとにも賛同しないことを理解してほしい。

大浦兼武も、そろそろ若イモは親イモには劣るということを理解してくれなくては困る。ついでがあれば、このことを話してやってほしい。

〔中略〕

清浦奎吾が大江広元の称号を得ていい気になって働き、実際には大事なことは親イモ、若イモ四、五人だけで決定し、その決定したことを実行するにはいつも他人の手を借りてやっていること、その手足の一人として使用されていることはいざ知らず、得意顔で必死に馬鹿な小細工ばかりして、山田翁を甘く前に立て、安場翁のご機嫌を損ねないようにと後ろに据えて、徳富蘇峰は参謀気取りで我が物顔になってはたらいている浅ましさは、なんともかわいそうなことだ。

山田翁に対して気の毒に堪えないのは、逆子と言われている（大臣より先に生まれたからである）奥田義人農商務次官である。義理も友誼も構うような男ではなく、改進党臭のする頭のいいやつで、高島鞆之助のお気に入りとなって四方八方に働いている。七〇に近い山田翁が清浦坊主の踏台にされて、山田の老体を汚すようなことをさせては済まないと、それのみをひそかに心配している。〔中略〕

○「天涯」の書簡は必ず再三東京から発したことであろうと察する。君の一身上にとっては本当に喜ばしいことだと思う。心穏やかに養生してほしい。〇〇のためには一二ヶ月早いかと少し残念に思う。しかし、人生のことだ、緩急前後などというようなことは、事が起こってしまってから、可否が決定してしまった後でなければ判断はできない。無事安全に、早く帰ってきてくれればお互いそれが何より喜ばしい。

清浦坊主は坊主らしくしているかと思えば伴食だと言って知らぬ顔をして司法省だけを荒らされないように籠城している。智恵のないのにはなんとも残念だ。

○勇猛果敢に洞が峯の大砲の錆払いをするよい時期と思う。これは前の手紙にも書いたように、一人になっても発砲する覚悟で安心しているから、天涯の珍客が帰ってきても、変更はしないつもりなので、そのように理解しておいてほしい（ビーフステーキばかり数か月間食べているととにかく変な気持ちになるものだ。富士山の山風に吹かれている間はどんな人間でも意見は違ってくるものだ）。

何より第一の要務は「命あっての物種」ということ、これを忘れることなく、寒さ厳しくなる折柄であるから体を大事に、祈っている。

草々頓首

明治三十年十一月二十一日　　　　　やじ

安達様

本文ではついつい清浦の悪口を言いすぎてしまったが、政友として見捨てはしない。この男が悪いからといって敵にすれば、世の中に政友はいなくなる。ただただ熊本士族の持ち味を、今日の大臣の席で示すことができないかと、政友清浦を思うの一心から、このような悪口を言ってしまったのだ。この思いをわかってほしい。

世の中の人がイモを食うことは知っていても、イモを食わせられることを知らない御仁が多いのには何とも気の毒だ。やじなどは維新前、国事の騒ぎが始まった頃からイモを食わされ続けてきて、その味は良く知っているから別に何とも思わない。ただただ、万事見聞きして笑っているだけだ（時々は泣いたりもするけど）。

例の乱雑なやじ流のこの手紙は、ご覧になって病気の慰みにでもなれば幸いだ。

さて、思い出してほしい。例の「史料読解」の出番である。ここまででも十分わくわくしてくるが、まだ細かな人物の履歴だとか、その背景にある事情だとか、要はここで話している話題が何であるのかがまだわからない。それを事細かに調べたうえで再度読んでみる。

第二次松方内閣（一八九六年九月一八日～九八年一月一二日）は、「松隈内閣」と呼ばれたように、大隈重信─進歩党との提携を特徴とする内閣である（この書簡の時期は提携断絶）。その閣僚の顔ぶれを見てみると、総理の松方正義（大蔵兼務）のほか、

内務：板垣退助→（一八九六年九月二〇日）樺山資紀（薩摩）
陸軍：大山巌（薩摩）→（一八九六年九月二〇日）高島鞆之助（薩摩）
海軍：西郷従道（薩摩）
拓殖務：高島鞆之助

と、明らかな薩摩系内閣であった。

そこにあって、長州出身者や、長州出身ではないが品川や彼と政治的立場の近い山縣の代理者的立場にある人物として入閣していたのは、司法の清浦（熊本）、農商務の山田（熊本）、逓信の白根専一→（一八九六年九月二六日）野村靖（山口）など閣僚経験の少ない者ばかりで、圧倒的に立場が弱かった。

書簡の日付、明治三〇年一一月二一日という時期であるが、ちょうどその二週間ほど前に山田が京都府知事から農商務大臣に入閣していた。書簡で「東西之談」と言っているの

は、山田が関西方面の近況報告をし、かわって品川は東京の話をしたということである。

書簡の中で次に「君主内閣主張」とあるのは、山田ら古参地方官や山縣系官僚閥が、第二次松方内閣成立前に山縣を擁立して内閣を成立させようと運動していたことと思われる。山縣は、政党に対しては比較的強硬な立場をとっていたため、「君主主権」すなわち、明治憲法の趣旨を忠実に実現してくれる内閣になりうると期待されていたことからこのように呼ばれるのであろう。具体的には議会の多数派の意向ではなく天下国家の観点からの政治、より当時の政治課題に即して言えば、日清戦後経営のための増税である。

この点では当時薩派も同調してくれていたはずなのに、早速樺山などは自由党の要求を飲んでしまって大臣自ら直接談判などして朝野を騒がせている、と品川は不満である。

次に出てくる大浦兼武は、出身こそ薩摩ではあったがその経歴はいささか特殊で、品川に忠実な官僚であった。しかし、この書簡で見るように、品川からすると大浦も「親芋」すなわち薩摩の親玉に利用されている、と見ている。ここにあるように、品川ら長州系の人間はよく薩摩の人間を「芋」と表現する。芋は確かに薩摩の名産品であるが、「都会風でない」というときに使われる言葉でもあるから幾分か軽侮のニュアンスがないわけではないだろう。間違っても「お前もイモじゃないか」とは言わずに、淡々とその先を読解してほしい。

「清浦が大江広元の称を得て」とはまたたいへん面白い表現である。大江広元とは、平安～鎌倉時代の人物で、はじめは朝廷に仕える貴族だったが鎌倉に下って源頼朝の側近となったことで知られる。そこから、もともと山縣寄りであった清浦が薩摩の下に降って重用されていい気になっている、というような揶揄を表現している。山田や安場（熊本）など仲間を立ててはいるが、薩摩に利用されているのを知らずいい気になって馬鹿みたいだときつい批判である。

ちなみに、清浦に関して「清浦坊主」という表現が見えるが、清浦は熊本の浄土真宗寺院の子であることから品川が勝手にこのように呼んでいるものと思われる。清浦宛書簡ではこの呼び方はしていないので、おそらく面と向かっては言っていないはずである。このように、品川はその人物の属性や出身をもじってあだ名で蔭口を言うのがお好きらしい。

奥田という農商務次官についても手厳しい。奥田は品川や山縣と近い山田農商務大臣の下で次官となった男だが、進歩党に近く、高島大臣のお気に入りになって手足のように動いていると警戒しており、そのような人物が下についたことで高齢の山田は苦労するだろうと心配している。

「洞峯」もまた難関であるが、当時品川がよく用いた比喩である。政界の様子を山の上にのぼって日和見していよう、というような意味である。当時品川は国民協会を率いる立場である。国民協会は議会内では当時第三極であった。少数ではあるがキャスティングヴォートを握りうる重要な立場であった。しかし、松隈内閣の成立にともなって議会内での立場が危うくなることに危機感を募らせていた。品川自身は自由党よりも改進党を強く警戒していたが、当時会員中に松方内閣に同調して政権参画を狙おうとする立場が強くなってもいた。

国民協会は、その内部を大きく分けると国権派と実業派と呼ばれるような二つの立場から構成されていた。熊本出身の会員は国権派である。しかし、松方内閣に熊本から二人も入閣してしまったので、国民協会にとって重要な柱の一角である国権派が内閣に引きずられて分裂するのではないかという問題が生じ始めた。

このような状況下で「洞峯で大砲鋳払い」というのは、今は峰の上で日和見しているけれども大砲は据え付けてある、そしていつでも戦えるように大砲のお手入れはしているからねということである。『ザ・ファブル』で主人公の佐藤明が休業中でもバレルのお手入れをしているようなものである。

「天涯の珍客」という表現もややわかりにくい。「天涯孤客（こかく）」という表現は漢文や漢詩によく用いられ、遠いところにいる仲間、同志といったような意味合いで用いられる言葉である。これは当時外遊中の佐々友房（熊本出身、国民協会員）を指すのであろう。ビーフステーキ云々のくだりは、佐々も外遊してちょっと考えが変わるかもしれない、そうするともしかすると旧来の硬派であった佐々ではなく、松方内閣との提携を主張し始めるかもしれない、そうなっても自分はいつでも戦える覚悟でいる、との意味であろうか。

ここまで来ると追而書（おってがき）（「尚々書（なおなおがき）」ともいう）の真意もより深く読み取れるだろう。薩摩人というのは芋のように「美味しい」ものをぶら下げて人に食わせて喜ばせようとするが、その実、人を利用して操ることを得意とする人たちだ。そのことを、やじなどは幕末の頃からずっと付き合ってきてわかっている。散々あいつらには煮え湯を飲まされてきた。だから今更驚きもしないが、今の若いものにはそれがわからないんだろう、かわいそうなことだ。というような意味合いである。

他にも様々に解説すべきところはあるが、今はざっとこの程度にとどめておこう。こうして見ると、単純現代語訳だけではまだまだわかりにくかったこの書簡の意味が随分クリアになったのではないだろうか。

通常書簡の読解というのはこのように多くの背景知識と追加の史料調査を経て初めてなしうるものなのだが、とりわけ品川の書簡は「難しい」とされている。筆者などはこのような「やじ流」の書簡が面白くて面白くて、翻刻しながら時には突っ込み、時には泣き笑いすることもあるのだが、それはこの「難しさ」と不即不離なのである。

それは、品川の書簡は今見てきたようにたくさんの比喩的表現で成り立っているからである。その比喩的表現がわかれば「何うまいこと言ってるんですか（笑）」「言うてる場合か（笑）」と突っ込めるのだが、わからないままだと「何となく面白そうなことを言ってる」くらいにしか知覚できない。

「やじ流」の魅力を最後に一つ付け加えておきたい。最後の幕末の頃から薩摩に散々煮え湯を飲まされてきたからそのことはよくわかっているけど……のくだりの後にくる「唯々万事見聞して笑って居るのみ。（折々泣キもスル）」である。品川の書簡にはこの手の複雑な感情描写が頻繁に登場する。この表現からは、「薩摩の奴ら、またやってらあ、くらいに笑って見ている」品川と、そうやって笑いながらも時々嘆かわしくなって、悔しくなって、「泣キもスル」品川が同次元に存在することがわかる。それは別に敢えて言わなくてもよいことかもしれないが、全部言ってしまうのである。「泣キもスル」が品川の本体なのであろうが、「笑って居る」表の品川もまた品川なのである。その二つの「やじ」を、どちらも見捨てることができないのが「やじ」なのである。

こうして見ると、何か既視感を覚えた方もいるのではないだろうか。筆者の文体が、やじに似てきてしまっているのである。似てきているのか、もともと性格が似ているから収斂してしまうのか、どちらかはわからないが、筆者自身も最近それを自覚し始めている。

ひじょうに長い引用と解説にお付き合いいただいた。品川の書簡の解説一つとっても、解説するのにここまでの紙幅を要するということに驚かれた方もいるかもしれない。史料とはたいていそういったものなのだが、とりわけ品川書簡は品川オリジナルの比喩なども多いので、史料の説明からして複数の段階が必要になる。ふつう研究者はこのような書簡を数十も数百も使って論文を書くということは既に述べてきた通りである。そのため、通常このような使用に際して説明が必要な書簡は用いないで同じことを言える別の史料で代替するか、説明を大胆に省いて使用するかのどちらかになってしまう。どちらにしても、品川書簡の妙味を最大限に伝えるのに、学術論文という形式はあまり向いていないと思う。

品川の書簡は、一事が万事このような調子なのである。筆者にとっては読んでいてこれほど楽しい史料はない。この遊び心が、同時代の人びとから独特の愛され方をしていたことについて筆者は一度軽く触れたことがある【池田 二〇一九②】。品川の死に際して寄せられた追悼文をまとめた書物があるのだが、筆者はそこに「品川さんのダメなところが好き」という筆者の同類たちの影を見た。

筆者はこのやじの遊び心を「なんとかしたい」と思った。学問の世界で品川の、この「どうしようもない」ところを「なんとかしなければいけない」と、謎の使命感を抱いた。それは、学問的に意義ある何ものかにしなければならない、と言いかえることができるかもしれない。

やじの書簡に笑い、やじの遊び心を楽しむ筆者は、母校の研究室では確実に浮いていた。京大文学部の日本近代史は、皆何かに「怒って」いたし、関西の学界で日本近代史を研究する人たちは、皆同様に何かに「怒って」いた。かくいう筆者もまた、そのような空気に「怒って」いただろう。しかし、「怒り」ながらも、その同じ頭で「笑い」や「遊び」を本気で考えていた。この複雑でなかなか人に伝わりにくい感覚は「やじ」そのものであった。

しかしこの複雑な感覚が、「笑い」の本質だったのだと後に知ることになる。[*2]

『鼻行類』の衝撃

筆者が母校の助教時代に好んで読んでいた本がある。ハラルト・シュテュンプケ（Harald Stümpke）著『鼻行類』である。鼻行類とは、南太平洋のハイアイアイ群島に棲息した、長い鼻を移動器官として歩いたり跳びはねたりして暮らしている哺乳類である。鼻行類の下位分類には実に様々なバリエーションがあるが、よく知られたものはいずれもネズミのような見た目をしている。実際、鼻行類はハイアイアイ群島に棲息しているヌマチトガリズミと共通の祖先に由来する可能性があるとされている。ただ、鼻だけがとてつもなく長い

＊2　ちなみに、この段階ではまだいお倉的「笑い」には到達していなかった。このまま普通にいけば「やじ」は「文学」としての歴史に回収されてしまったかもしれない。「やじ」の妙味を最大限効果的に伝えるためにはどのような表現が最適か、筆者は常に頭を悩ませていた。先に述べた通り、一般的な学術論文では全く不十分である。一般向けコラムとしてもまだまだだし、そもそも若手研究者ではなかなかそのようなものを書く機会に恵まれない。どうすれば伝わるかという苦闘の末にたどりついたのがいお倉だった。既存の学術誌では取り上げてもらえないような「ゴム」とか「イモ」みたいな一見どうでもいいような問題に一本の論文をあてがってしまうような、そういう業績だけを発表でき、それこそが評価される場を作ればよいのではないかということである。これまでにいろいろな思い出話をしてきたように、いお倉への歩みは一直線ではなかった。いくつもの道が重なって、一つの大きな道になったのである。

のである。「〇〇ハナアルキ」という和名がつけられることが多いことから、「ハナアルキ」と総称されることもある。

鼻行類の中で最もよく知られたものは、原著の表紙に掲載されていたナゾベームであろう。ナゾベームは、ナンセンス文学の旗手にしてドイツの詩人、クリスティアン・モルゲンシュテルンの詩に登場することから、既に一九世紀には知られていたと考えられるが、その生物群としての実在や生態が詳しく知られるようになったのは二〇世紀のことであった。一九四一年に南洋の日本軍捕虜収容所から脱走したスウェーデン人捕虜シェムトクヴィストがたまたま上陸したハイアイアイ群島で発見して以降、研究が飛躍的に進展した。

鼻行類を代表すると言っても過言ではないナゾベームは、四本の鼻を器用に使って歩行し、尻尾で果物などを取って食べる平和的な生き物である。モルゲンシュテルンの詩にあるように、「子どもたちを引き連れて」鼻で「歩く」姿はとても可愛らしい。ちなみにこの種の最大のものは、この詩人の名からとって「モルゲンシュテルン・オオナゾベーム」と命名されている。

ナゾベームのほかにも、鼻で跳躍して移動するトビハナアルキ、鼻が六本あり、あまり移動せず昆虫などを捕獲して暮らしているイカモドキ、鼻の先端をラッパのように広げ、水中で暮らすラッパハナアルキ、鼻から流れる粘膜で昆虫などを捕食する、より原始的な形態をとどめるハナススリハナアルキなど、多様な種が確認されている。

外敵らしい外敵の存在しないハイアイアイ群島は、このように鼻行類たちが独自の進化を遂げ繁栄を極める、まさに鼻行類の楽園であった。しかし、ハイアイアイ群島は一九五七年の核実験によって引き起こされた地殻変動により海没・消滅し、鼻行類は絶滅してしまった。

……というのは、全て架空の物語である。ハナアルキたちは存在しなかった。ハイアイアイ群島なる場所も存在しなかった。そもそもこの『鼻行類』を著したハラルト・シュテュンプケなる人物自体も架空の人物で、「中の人」は動物学者ゲロルフ・シュタイナー(Gerolf Steiner)であった。しかし本書は、このわずかの、しかし最も本質的な嘘を除くほかは、全てにおいて全く純然たる学術書の体裁をとっている。

まずは、その叙述のスタイルである。博物学、そしてその系譜を引く動物学、なかんずく分類学の伝統に忠実に、本書はまずこの生物群が発見された経緯、そしてこの生物群の棲息するハイアイアイ群島なる地域の地質学的・人類学的特徴を「多様な先行研究を参照して」叙述する。そして次に、その下位の分類について一つ一つ、系統樹に沿って説明していく。ここでも、動物学の「多くの先行研究を参照して」慎重に叙述がなされる。

ここで、「多様な／多くの先行研究を参照して」と書いたが、実はここで参照される豊富な先行研究（註）もまた当然のことながら架空のものである。動物学に明るくない者にはそれらしく見えてしまうのだが、いずれも「似たような名前の人はいるけど、ウソ」なのである。

収録されている数多くの精細なスケッチもまた『鼻行類』を特徴づけている。古典的な生物学の良書がその優れたスケッチの魅力においても評価されている例にもれず、本書に収録されるスケッチもまた精緻であり無駄や装飾のない学術的な絵画芸術である。そしてこのように大真面目に描かれた（という体の）スケッチと、そこで描かれた生き物たちの見た目のコミカルさとのギャップもまた秀逸なのである。

「上手い嘘のつき方を知っとるか？　時折事実を交ぜて喋ることじゃ」とは駐屯兵団司令官ドット・ピクシスの言葉であるが【諫山 二〇一八】、本書はまさに、一割の嘘を九割の真実らしさで包んだ「嘘の教科書」のようである。しかしこの九割の「真実らしさ」に全く手抜かりがない。本書はその意味で、確かに問題作であるが、駄作では全くありえない。

日本の学界ではこの「奇書」を扱いかねているようではある。しかし、本国ドイツではまがりなりにも大学の授業で真面目に検討されていたようではあるし、多くの言語に翻訳され世界中で読まれてきたことを考えるならば、日本の学界においてもこれを改めて真剣に検討してみることには意味があるだろう。

真剣にふざける

『鼻行類』には、刊行後様々な反響があったが、その中にはこれに憤慨して「まじめな科学を茶化すなんてもってのほかだ」というような「マジレス」をお見舞いする読者もいた。確かに、シュタイナーのやったことは、科学の作法＝慣習に忠実な姿勢を極端なまでに徹底しながら空想を描くという、科学に対する極めて挑戦的な行為であった。しかし、シュタイナーは科学上の慣習を笑い物にすることと、科学全般に敬意を払うことは矛盾しないと考えていた。

科学をおもちゃにして、真剣にふざけることは決して科学の冒瀆（ぼうとく）にならないばかりか、却って科学の力に対する敬意を広く共有させる効果さえある。『鼻行類』の解説本ともいうべき『シュテュンプケ氏の鼻行類』を著したカール・D・S・ゲーステは言う。

『鼻行類』の中では……形式は確かにまじめな科学論文調であり、ややまわりくどく、部分的には面倒くさいほど《精密》な傾向もある。だが、それに相応してまじめさが予想される内容の方は、空想的であったり、形態学的研究や生物学理論と仮説の意味をもっていたりさまざまである。ただし、個々の事例について何がまじめでないか、ということはつねに不問に付されている。読者はそのつど新たに自分で判断しなければならないのである。本文はその際、何の助けにもならず、相反する事柄の問であれこれ様変わりし、摑みどころがない。つまり、読者は一方では、たえまなくあいまいな気持ちを抱かされるのに、他方では、発見の喜びを楽しむ。それは、予想したことが正しいかどうか最初はわからないままであったのが、思わぬところで明らかになることからもたらされる喜びである。

『鼻行類』は、「科学論文調」である。しかし、そこに書かれていることは全くの空想である。頭をやわらかくしてみよう。そこに書かれていることの真偽にこだわるからカリカリするのだ。そこに書かれていることから離れてみよう。つまり、そこに「何が書かれているか」ではなく、「どのように書かれているか」に目を向けてみるのである。そうしてみると、これは極めて「科学的」な仕事のように見えてくる。
つまり、シュタイナーがやったことは、こういうことである。人間は皆知的好奇心があって遊び心を持っていると考える。空想は、人間の知的好奇心や遊び心を刺激する。その空想を、いたって「科学的」な装いで示して見せることで、空想に興じる人びとは知らず知らずのうちに「科学的」な体裁――本書で「型」とか「枠」とか呼んだようなもの――を体得する。真正面から「優れた」学術論文を取り上げ、「これが論文というものだ」と示してその「型」を習得させようとするよりも、はるかにふざけたやり方で同等かそれ以上の効果を、「科学的」なるものと縁遠いような人びとにもたらすことができる。これ以上ない「科学」の教材ではないだろうか。

科学を「笑う」ことの意味

ここからさらに踏み込んで、科学を「笑う」ことにはより積極的な意味があると考えた。ゲーステは言う。

彼〔シュタイナー：引用者註〕は、科学者が精神的、心情的に健全であるかどうか、懸念することもなかった。彼も科学者と同じようなものである。彼がいわば指摘したのは、これは絵描きがするようにできるのではないか、ということだけである。つまり、画架の前に立って、夢中になって絵をかく。だが、ときには彼は数歩下がって、それを眺める。まるで、見知らぬ、好意的ではあるが批判的な鑑賞者のように、眺めるのである。

また著者はこうも言う。そもそも「精神的に健全な人は、決して一つだけの動機から何かをするのではなく、いくつかの動機をもっているものである。そのうちのもっとも《立派な》動機は声高に表明されていても、もっとも《立派でない》動機がじつは一番強い動機である」。

シュタイナーはただふざけていたわけではない。真剣にふざけていたのである。真剣にふざけることに意味があると信じていたからそうしたのである。

そもそも科学研究において、動機が「健全」であるか否か、「立派」であるか否かが問われるのは、科学が誰かを「パトロン」にして成り立ってきたからである。パトロンを説得するためには、「健全」で「立派」な動機を並べ立てなければならない、と科学者たちは考えてきた。しかし、「健全」で「立派」な動機があればパトロンは満足してくれるとも限らない。逆にくだらない動機でなされた研究を求めるパトロンもいるかもしれない。大衆社会の極致に達した現在、われわれは改めてこのことを考えてみなければならないと思う。

ちなみに、シュタイナーは先述の、自らに送られてきたマジレスに対し、更に輪をかけたようなマジレスをして対話を試みている。シュタイナー博士も苦労したんだなと二一世紀のオタク女に激しく共感されてしまっているとは、流石の博士も想像できなかったのではないか。

ユーモアと寛容

真剣にふざけるシュタイナーの周囲には、真剣に怒るアカデミズムの世界があった。いや、アカデミズムの世界の外でも、人と人とが、集団と集団とが、国と国とが真剣に怒りをぶつけ合っていた。『鼻行類』は、アカデミズムという小さな世界でのことであったかもしれないが、真剣に怒ることに対して少し引いた視点から面白がって見ることを可能にした。それは、ヒートアップする怒りを一時的に冷却するような効果を持つ。アカデミズムでそれが可能なら、広く人間関係においてもそれが可能であるはずである、と思わせる。

ゲーステは、有史以来科学とは危険な支配者たちの遊びを無害な遊戯の領域に抑え込むものであったと言う。しかし一九世紀以来自然科学が急速に発展し、科学は人類の生き死にに関わるほどの存在になってしまった。その中で、「この著者〔シュタイナー：引用者註〕はその冗談によって、技術社会以前に、そして無害な疑問に没頭する科学者にきわめて近い位置にとどまった」のだと指摘する。

ゲーステは、機智と冗談は酒酔いのようなもので、「愉快な気持ちにさせるものが」「一転」して「気分を害するものに」なるのだとして、「何が《滑稽》なのかは送り手だけでなく、受け取り手によっても決まる」のだと説明した。そして「《ユーモアのある人間》」とは「冗談を認める許容限度が強い刺激にまで大きく広がっている人」と説明する。

そのような人は、ユーモアの才能に乏しい人なら気分を害し腹立つほどのことに会っても、まだ朗らかな気分を保つのである。……こんにちこうも尊ばれる理想的な寛容さには、真のユーモアが少なからず必要である。なぜなら、ユーモアを介してのみ、自分と異なった流儀をつねに尊重することが可能だからである。自分と異なった流儀からは絶えず、自分の育ち方や価値観に反する、予想もしないようなこと、つまり、望ましくない食い違いが起こる。その際に、先に述べた意味でのユーモアの才能のある人だけが、この食い違いを克服するのである。

このようにゲーステは、ユーモアは寛容につながり、あまりに多様で衝突の絶えない世界を克服する力をそこに見る。『鼻行類』はそのような可能性を秘めた挑戦であったと筆者も思う。

怒りの支配する世の中で、冗談と機智はその怒りを冷却する。しかしそれは、怒りをただ冷笑的に見ているのではない。笑いによって怒りを冷却することと冷笑とは似て非なるものである。この二つの違いは、その怒りの主に対する敬意があるかないかの差であるように思われる。ここで「怒りを冷却する」と言う場合、根底には敬意がある。怒りを発する彼もまた人、それを見てチョケる我もまた人という思いがある。

『鼻行類』を生んだ世界

シュタイナーは、一九四五年ドイツで敗戦を経験した。彼は大戦末期の連合軍による空襲の恐怖と、敗戦後の貧困と飢えの苦しみを経験した。彼の住んでいたダームシュタットは一九四四年九月一一日から一二日に空襲を受け、シュタイナーは焼け出された。焼失を逃れたのは地下室に置いていたわずかの衣類やシーツ、下着類、そしてタイプライターと水彩絵の具、スケッチブックの入ったトランクと二つのスーツケースだけであった。

彼のもとにこの画材が残されていたことが、鼻行類にとっては幸運であった。

彼は、敗戦後米軍による外出禁止令の出る中で、アルスバッハからダームシュタットまで野菜を持って自転車で来てくれた親しい友人のトニ・シュトリッツに、お礼の代わりに絵を贈った。彼女がそれを欲したからでもあった。彼女は当時、動物学を専攻する学生であったから、シュタイナーはモルゲンシュテルンのナゾベームを描いて贈った。これが、詩の中だけに棲んでいたナゾベームに肉体が与えられた瞬間であった。

その後、ダームシュタットから空襲を逃れたハイデルベルクに移り、大学で教鞭をとることとなったシュタイナーは、資料のない当時、このナゾベームから派生して生まれた鼻行類たちの生態に関する授業をするようになった。それは一種の動物学のシミュレーション・ゲームであった。

一九四八年のハイデルベルク大学の動物学科の講義では、付け髭(ひげ)をつけて、「シュテュンプケ博士」として登壇したという。この「遊び」には、一人のとてもまじめな女子学生が、老教授の言葉に受講生がのっけから笑ったことに抗議して講堂を出てしまったという一幕もあった。

このように『鼻行類』は、恐怖と欠乏の苦難の中でユーモア（と絵）だけを資源として生まれてきたのであった。筆者はこの事実を知ったとき、震えた。「知」を渇望し、「知」へと向かう人間の力の尊さに打たれた。そして、ユーモアの持つ力への確信を強めた。

この本は、筆者にとって「学問的雰囲気」、「知」そのものであった。この本を開けば、いつでも大学図書館のあの膨大な本に囲まれた、紙とインクと防カビ剤のにおいのする薄暗い迷路のような地下室を思い出した。ふざけているのに、科学的。学問的であるのに、冗談みたい。そこに、少年のような素朴で根源的な「知」への渇望を見た。

筆者は新たな職場に移ることが決まってからは毎日寝る前に儀式のようにこの本を読むようになった。時々は泣きながら読んだ。そこに、もう戻れない世界を見、一方でここでも新たな世界を創ることができるというかすかな希望も見ていた。[＊3]

＊3　『鼻行類』日本語版には古いものから思索社版、博品社版、平凡社版があり、ゲーステ著の『シュテュンプケ氏の鼻行類』がその解説編として出されている。ちなみに平凡社版の『鼻行類』と博品社版の『シュテュンプケ氏の鼻行類』に収められているナゾベームの挿絵は、いずれも親ベームが尻尾で果物を食べていて、その後ろを子ベームがついて（鼻で）歩いている絵なのだが、思索社版の『鼻行類』の表紙だけ親ベームと子ベームが手をつないでいるのである！　この思索社版

無感情の文学

『鼻行類』は、これ以上ない科学の教材であると先に述べた。しかし同時に、優れた文学作品でもあると感じた。これは本書の第一部で述べた歴史と歴史学の話にも通ずると思われるので、少し触れておきたい。

鼻行類は、確かに徹頭徹尾科学的体裁が貫かれている。しかし、そこで描かれている鼻行類たちの歩みや鼻行類たちを研究する研究者たちの歩みに目を転じるとき、一筋の美しい悲劇的旋律がそこに流れているのを知る。一九世紀、奇才の詩人の筆から生まれた謎の生き物・ナゾベーム、大戦の悲劇の中で脱走捕虜が偶然発見した謎の楽園・ハイアイアイ群島、地質学、人類学、そして動物学が織りなして展開される研究の隆盛、しかしそれは戦後の覇権国家たちの軍拡競争という時代の中で突如として終焉を迎えるという結末。この物語はいかにも「ありそう」な話であり、それゆえにこの結末が全体にもたらす哀しみは真実味を持って迫ってくる。

一九八七年刊のものは今ではもうなかなか手に入らなくなっていて、マニア垂涎(すいぜん)ものである。筆者もまだ手に入れることができていない。何としてでもこの超絶微笑ましい親子ベームの挿絵付の『鼻行類』を入手したいものである。

しかし、著者はその物語を叙述することに関心があるのではない。「どうです、感動するでしょう！」という顔もしていない。あくまで淡々と、学術書然としている。

世の中には、こういう「無感情の文学」とでもいうべきものが存在すると思う。それはノンフィクションなどのようなものともまた違う。ノンフィクションほどにも感情がない。「無感情」という体をとることでかえって、読者の強い情動を呼び起こす効果を持つ文学である。

思えば、筆者はずっとこのような「無感情の文学」を好んで摂取してきた。筆者は関西地方の生まれであり、幼少のみぎりよりお笑いに囲まれた環境で育ってきた。関西で、特に阪神間の子どもが社会の中で生き抜くためには、「ボケ」と「ツッコミ」の技術を自然に体得し、自らの立ち位置を早い段階で決めておかなければならない。集団芸の場合でも同様である。

筆者も一通りはそのような基礎的知識と技術を習得したが、筆者はそのような伝統的な二人芸あるいは集団芸ではなく、ツッコミ不在の憑依(ひょうい)芸の方により惹かれた。個人名を出すことは控えさせていただくが、そのような芸はお笑いライブよりもむしろYouTube動画で広く楽しまれてきたもののように思われる。いわゆる「キャラもの」であり、演じる本人はそれを「面白いでしょ！」という見せ方をせず、ただ淡々とその人物を「生きている」。それを見て、こちら側は突っ込まされている。演者本人はただただ無感情である。しかし、それを見てこちら側はつい笑ってしまう。本人が淡々としていればいるほど、すなわち本人の存在感が消えていればいるほどに面白いように感じられた。

「笑い」に属するものではないので本書では扱ってこなかったが、筆者は「SCP財団」シリーズの愛読者でもある。「SCP財団」とは、この世界に存在する超自然的存在（オブジェクト）を「確保、収容、保護」(Secure, Contain, Protect) する団体である。その頭文字および財団がオブジェクトを収容する手順 (Special Containment Procedures) からこのように名付けられた。「SCP財団」シリーズとは、この財団が「確保、収容、保護」したオブジェクトに関する報告書である。本部は英語圏のどこかにあると思われ、日本にも支部がある。

さて、例によってこの財団も報告書も全て架空のものである。これは、実は英語圏で始まった一般作者たちによるオカルト創作のコミュニティサイトであり、日本でも独自の発展を遂げてきた。このコミュニティサイトに投稿される作品群は、単なる一般の創作の域を超えて、芸術的に高く評価されるいくつかの作品も誕生している。

そこに投稿され公開される作品は、いずれも「財団の報告書」という形式に則って書かれている。したがって、無味乾燥で読みにくい。一読しただけでは理解できないこともあるので、解説サイトや動画などもできている。体裁だけを見ると、全く「文学的」ではない。ただの書類である。しかし、それにもかかわらず、読んでいるこちらは徐々に背筋が寒くなり、背後に気配さえ感じるようになる。[*4]

語り手は全く無感情、無表情、あるいは低体温なのだが、笑わせに来ている芸やお涙頂戴のメロドラマ以上に受け手側の情動をぐるぐるかき乱す文学が存在する。『鼻行類』は、科学的でもあるが、それ以上にこのような優れた「無感情の文学」でもあるように思われる。

*4 ちなみに、このコミュニティサイトは英語圏発祥であるが、その報告書のテイストには自然とお国柄が表れているのが面白い。筆者の愛読する日本支部の報告書は、ジャパニーズホラーのエッセンス溢れる、湿度の高い「怖さ」を特徴としている。

ベルクソンの『笑い』

だいたい何か画期的なことを思いついたと思うときには、既に大昔にそういうことを発見した人がいるものである。われわれ凡人の経験的に思いつくことなど、所詮は長い人類の歴史を繰り返しているにすぎない。興奮して「世紀の大発見」「画期的新説」と打ち出すのはこういう意味においてダサいのでやめておきたい。

フランスのアンリ・ベルクソンという哲学者に『笑い』という著作がある。ベルクソンは、古今の喜劇作品、とくに彼の本国フランスの喜劇を中心に、「笑い」を類別し、それらに共通する特徴を導き出した。それは、「無感動」であり、「生の機械化」である。

ベルクソンは、笑いは「無感動」からくると言う。「滑稽は、極めて平静な、極めて取り乱さない精神の表面に落ちてくる」のであり、「笑いには情緒より以上の大敵はない」。同様のことは、本書を通貫し何度も言葉を変えて繰り返される。

他人の人格が我々を感動させなくなった場合にこそ、喜劇は始まりうる。

私の心を動かしてはならぬ、そういうことが、それだけではもちろん十分だとは言え

ないが、ほんとうに必要な唯一の条件である。

そしてその「無感動」は、機械的なこわばりに発するという。生きている人間が機械を思わせるようになればなるほどにおかしみが生ずるのだという。「機械化」とは、人間が「形式への間断なき心くばり、規則の機械的な適用」によって「一種の職業的自動運動を作り上げる」ことをいう。ベルクソンが特に注目しているのが、この「職業的」というところである。

われわれの身の回りでもこういうことがある。政治家言葉、お役所言葉、芸人言葉、現場作業員言葉など、職業ごとに使いならされている言い回しがある。たとえば、長期休暇に、九州の実家に久々に帰省する女性自衛官がいる。頭の中はすっかり九州方言に戻っている。

「実家に帰るとは久しぶりかねぇ。何ヶ月かしか経ってなかとに5年ぶりに帰るごたる」

（標準語訳：実家に帰るのは久しぶりだなあ。何か月かしか経っていないのに5年ぶりに帰るようだ）

そこに、母親からの電話が入る。

「はい、もしもし。うん、元気かよ。迎えに来てくるっと?よかとに〜。」
（標準語訳：はい、もしもし。うん、元気だよ。迎えに来てくれるの?いいのに〜）

家族と話すときはすっかり方言に戻っている。
しかし母親が迎えの場所と時間を尋ねた時の女性自衛官の次の返答は母親には全く伝わらず、大声で聞き返されてしまった。

「じゃあ1530（ひとごうさんまる）●×駅に」
（うぐいす歌子『2士ペン君』二〇二三年一二月二日X掲載版より。なお、この漫画で言うところの「自衛官」とは、「自国防衛あにまる隊」の隊員のことであり、日本国の自衛官ではない点に注意が必要である）

「ひとごうさんまる」のような時刻や数字の読み方は、日本の軍隊組織に特殊な習わしで、伝令の際に齟齬（そご）が生じないように正確に、速く伝えるという目的からなされている。「しちじ」なのか「いちじ」なのかを間違えただけで大きな間違いにつながることがある。一刻を争う緊急事態においてこのような伝達ミスは致命的である。また、「午後二時」「一四時」など、人により呼び方が変われば混乱の元にもなる。自衛隊であろうが自国防衛あにまる隊であろうが事は同様である。

日常的にこのような読み方に慣れ親しんできた女性自衛官は、郷里の母親との会話でもついうっかり「自衛官言葉」が出てしまったという話である。そこだけ郷里の方言に自衛官言葉が勝ってしまったのである。筆者なども明治期の政治家の書簡や新聞などばかり目にしているから、日常の中でも「ひっきょう」とか「よしんば」とかいったような若干古風な言葉が出てしまうことがある。美容師さんやネイリストさんたちはそのたびにポカーンとしているのではないかと思うと、気を付けなければいけないと思う。

このような、職業に付随する独特の言葉が、ついうっかり無意識的に、つまり「自動的」「機械的」に出てしまうところから発する「笑い」があるというのである。事は言葉にとどまらず、「職業病」と総称される行動一般にも当てはまるだろう。それが出てしまう時に、人間は「機械」になっているのである。

そしてこれは、職業にとどまらず、広く「放心家」「妄想家」「熱中家」「変に理窟をもっている狂人」[原文ママ]「転ぶ疾走(しっそう)者」「馬鹿正直」「大放心家」「罪のない夢想家」に通底する特徴であるという。ベルクソンは、ひとしく「滑稽人物は無意識である」と言う。

他人と触れ合うことを心懸けないで自分の道を自動的に辿って行く人物は滑稽である。

笑いは、その場合彼の放心を矯正するために、そして彼を夢から引っぱり出すために
そこに存するわけだ。

〈中略〉

要するに、一つの性格が善であっても悪であっても、それはたいして問題でない……
非社会的でさえあれば、それは滑稽になり得るのだ。

すなわち、「非社会的」で「無感動」なもの、これが「笑い」に本質的な二要件であるということになる。ここに見られる二要件は、先にみた『鼻行類』におけるシュテュンプケ博士の持つ「徳目（とくもく）」であるように思われる。そして後にみる、「笑い」を実践した学者たちの試みもまた、この「徳目」を持ち合わせている。[*5]

---

*5　これは決して彼らが「コミュ障」だなどとdisっているわけではない。「非社会的」というのは決して褒め言葉とは言えないが、ここでは「笑い」を生み出すものとして積極的に評価していることにご注意いただきたい。つまり「ただし良い意味で」ってことである。

イヴァン・ジャブロンカの理論

「無感情の文学」は学問ときわめて相性がよい。というか、学問の側にしかほとんど作りえない文学であると思う。第一部で「文学」的要素が入り込むのは歴史学の特徴だという話をしたが、それはあくまで叙述的な「物語」としての「文学」の話であった。物語は基本的に情動の文学であり、「無感情の文学」とは対極のところに位置する。ここで言うような「無感情の文学」を考えるならば、およそ全ての学問は「無感情の文学」に転化しうる要素を持っていると言えよう。

しかしながら、実は歴史学において「無感情の文学」が成り立つ可能性に接近する者は、海の向こうにいた。フランスの歴史家イヴァン・ジャブロンカである。ジャブロンカは、『歴史家と少女殺人事件』『私にはいなかった祖父母の歴史』などで実践したことについて『歴史は現代文学である』の中でその理論面の解説をしている。このタイトルにもあるように、ジャブロンカは、歴史学はその叙述が客観的であり学術的であることが却って文学性を高めると言う。

ジャブロンカは「規則は創造を妨げるのではなく、逆にそれを研ぎすます。この事実が立証するように、歴史家の方法は歴史家が作家でもあることを決して妨げない」と言う。

しかしそれは、「美しく」見せるために飾ることではない。「感動が社会科学に居場所を持つとすれば、それは誇張や嘆きから生まれるのではなく、研究における節制や簡潔さや頑固さから生まれるのだ。感動は、感動を抑制しようとする努力から生じる」のである。

研究は感動的でありうる。それはかならずしもその内容によって感動的なのではなく、その形式によって、つまりその形式が引き受けられ、調査が成功や失敗とともに語られるとき、感動的なのである。

筆者は、ジャブロンカの提言は歴史学において「無感情の文学」の成り立つ余地に目を向けさせるものだと読んだ。しかし、ジャブロンカはその実践編の中で、別な叙述的挑戦も試みてしまったために、彼の訴えは半分以上放置されてしまっているように思われる。ジャブロンカは、ここでもう一つの実験、すなわち「一人称の歴史学」の実践を訴えた。現代歴史学では、「私」を主語とした叙述は禁忌のように扱われてきた。今、皆さんが読んでいるこの本もその伝統にしたがって、あくまで「筆者は」とどこか他人事のように書くよう徹底している。それは、一人称を避けることで叙述の客観性が保たれると考えるからである。

しかし、ジャブロンカはその禁忌を破り、「私」の調査の過程そのものを示すというスタイルをとった。叙述はしたがって、概ね時系列順ではあるが、著者の調査の順に書かれることにもなる。著者とともに、読者は調査を追体験する。そうして、調査の裏側まで見せてしまうことで、却って「科学性」が担保されるというのである。

この理論が、結局のところ主戦場になってしまったように思われる。一方では賛同する歴史家が同様の実践を繰り広げ、他方ではそれに眉をひそめる歴史家が批判するというように。そして、この本で今注目している歴史学の「無感情の文学」につながる道は草ボウボウのまま無視されてしまっているように思われる。

サンキュータツオからイグ・ノーベル賞へ

現在の日本で筆者がここで言う「無感情の文学」に向き合っている研究者はサンキュータツオ氏を除いて他に例を見ないと思われる。サンキュー氏は、「米粒写経」というコンビを組んで活動するお笑い芸人であると同時に、国語辞典編さんなどに携わる研究者でもある。現在、東北芸術工科大学にて教鞭もとっている。

筆者がサンキュー氏を知ったのは、NHKラジオ第一で二〇一二年から二〇二〇年まで放送されていた「すっぴん！」というラジオ番組であった。サンキュー氏がレギュラーになったのは二〇一九年であり、番組最終盤の一年間だけの出演であったが、コロナ禍初期の不安な時期も挟んでおり、また筆者にとっては新たな職場に移ることが決まってからの不安な時期を支えてくれた大事な存在であった。だから、サンキュー氏がレギュラーになったから番組が終わったとかいうわけでは断じてないことを特にここに強調しておきたい。

その後筆者は、「マリー」と呼ばれるおばあさんと「ジョニー」と呼ばれるおじいさんが暮らしていそうな、教会とパン屋とケーキ屋しかない、海と山に囲まれた小さな町に移り、忙しさの中で「すっぴん！」のことも次第に忘れるようになっていった。

一方で、前章で話してきたように、筆者は新しい職場でもがく中で、「笑い」が研究者を救う可能性を感じ始めていた。そのような時、偶然にもサンキュータツオ氏の『ヘンな論文』シリーズに出合った。何がきっかけだったか、もはや全く思い出せない。しかしおそらく、Amazonでリコメンドされたのだろうと思う。[*6]

*6　よく「紙の本棚を眺めていると、出合うはずのなかった本に出合うことがある。インターネットではこうはいかない」と

『ヘンな論文』とその続編『もっとヘンな論文』は、これまで話してきたような筆者のあらゆる経験とそこで得た着想を一つに結ぶものとなった。サンキュー氏はこれらの本の中で、氏自身が論文を探す中で出合った「ヘンな論文」に、芸人としての着眼点から突っ込んだりガヤを入れたりしながら紹介していく。そこで紹介されている論文の書誌情報はいお倉のWEBサイト「参考」のページでも一覧化しているが、筆者が涙が出るほど笑い、しかし読後はしばらくおそろしい気持ちになった論文のタイトルだけ列挙しておきたい。

『ヘンな論文』から

飯倉義之「奇人論序説――あのころは「河原町のジュリー」がいた――」（『世間話研究』第一四号、二〇〇四年）

小林茂雄・津田智史「傾斜面に着座するカップルに求められる他者との距離」（『日本建築学会環境系論文集』

言われることがあるが、AI技術のおかげでインターネットでもそういう経験ができるようになったように筆者には思われる。「いやいや、しかしインターネットで一度にオススメされる量には限りがある。リアル書店や図書館ではその制限がない」という声も聞こえてきそうだが、筆者などはリアル書店や図書館では必ずトイレに行きたくなるので、そこで一時退室しなければならないし、途中から気になって本探しに集中できなくなる。図書館などでは再入室の手続きが面倒だったりするので、「もういいや」となってしまう。そういうわけで、筆者は断然インターネット派である。人体の制約とは本当にわずらわしい。このような人体の制約をほとんど感じないという人には、リアルワールドはなるほど居心地のよい場所なのだろうと思う。

第六一五号、二〇〇七年）

松本健輔「婚外恋愛継続時における男性の恋愛関係安定化意味付け作業―グランデッド・セオリー・アプローチによる理論生成―」（『立命館人間科学研究』二一、二〇一〇年）

『もっとヘンな論文』から

向井裕美子「プロ野球選手と結婚するための方法論に関する研究」（明治学院大学卒業論文、二〇〇八年）

三柴友太「「追いかけてくるもの」研究―諸相と変容―」（『昔話伝説研究』第二九号、二〇〇九年）

東崎雅樹「竹取の翁の年齢について」（神戸学院大学人文学部卒業論文、二〇一二年）

大門正幸「「過去生の記憶」を持つ子供について―日本人児童の事例―」（『人体科学』Vol.二〇、二〇一一年）

いずれもサンキュー氏による抱腹絶倒（ほうふくぜっとう）の解説があるので、素人の筆者がここで敢えて屋上屋を架す野暮はしたくない。内容はぜひサンキュー氏の両著をご覧になっていただきたいが、タイトルだけでも十分に興味をそそるだろう。

一つだけ補足しておきたいのは、ここで紹介されている論文の著者は、いずれも読者を笑わせようとしてこのような論文を書いたというわけではないことである（一部狙っているかもしれない節のあるものはあるが、徹底して「ドヤ」感を隠して科学的論文に擬態している)。あくまで笑ったのは読者であるサンキュー氏であり、そのサンキュー氏の眼鏡(文字通り)を通して見たわれわれなのである。その意味で、ここで紹介されている論文は全て優れた「無感情の文学」であるし、そのようなものとしてとらえたサンキュー氏の眼鏡もやはり優れていると思われた。

筆者は時間を忘れてひたすらページをめくっていた。そして、読了後しばし放心して何をする気にもなれなかった。「なんだこれは……」という心地よい放心であった。

ここで紹介されている研究は、いずれも歴史学の論文ではない。細かく見れば歴史学と見られないわけでもないというものはあったが、われわれが日々掲載を目指してしのぎを削っているような歴史学の学術誌のものは一点もなかった。筆者はますます、歴史学においてこのようなことをやりたいと思った。また、そのようなことができる余地は歴史学には十分あるとも思った。

しかし急に不安になった。

「そういえば、アレ……アレあったよな……『イグ・ノーベル賞』! あそこで歴史学部門ってあったんだっけ……? もしかして、先にやられてる?」

イグ・ノーベル賞。おそらく今では知らない人はいないであろう。毎年ノーベル賞のニュースとともに三面記事的な扱いで紹介されるのが恒例となっており、なぜだか日本人受賞者が多く、それなりの注目度もある。

日本がイグ・ノーベル賞常連国になっているのは、日本の大半を占める研究費の少ない大学では、ノーベル賞を受賞するほどのスケールのでかい研究はできないが、細々とマニアックな研究をすることはできるということの表れなのではないかと思われる。まさに筆者が弥二郎史料に我を忘れて没頭していたのと同様に、世知辛い世の中を一時でも忘れるためにマニアックな研究に没入していたのかもしれないと思うと勝手な仲間意識を感じてしまう。それはともかくとして、イグ・ノーベル賞に歴史学部門があればえらいことである。これからやろうとすることのインパクトに関わる大問題であった。

慌(あわ)てて調べたところ、どうやらイグ・ノーベル賞はノーベル賞のように、毎年固定的な部門が設けられているというわけではなかった。

それならば、今までの受賞研究に歴史学はあるだろうか、と思って調べてみたところ、いお倉にとっては幸いなことにまだなかった（二〇二三年六月調べ）。こうしてどうにかいお倉は発足できたのであったが、今後いお倉がモタモタしているとイグ・ノーベル賞に先を越されるかもしれない。しかし、とにもかくにもいお倉について発表はしておいたのだから、まずは一安心である。逆にあちらからいお倉論文の一つを受賞作にとの声がかかるかもしれないから、そのつもりで手抜かりはできないと思っているくらいである。

「笑い」の武装解除効果

さて、もう一度「笑い」の哲学者ベルクソンに戻ってみたい。少し前に、『鼻行類』の話の中で、ユーモアは寛容につながるという話をしてきた。同じようなことはベルクソンもまた看取していた。彼は、それまでの「笑い」についての理論が、人間はその「同胞の『軽微な欠点』を笑う」のだと理解してきたことに対して、同意はしつつもそれを完全な説明とは認めない。そもそも、欠点一つとっても、軽微なものと重大なものとの間に限界を設けることは難しいからである。そのうえで、次のような新たな理解を対置する。

たぶん欠点が軽微であるから我々を笑わすのではなくて、我々を笑わすから、我々はその欠点を軽微なものとするのである。笑いくらい人の武装解除をさせるものはない。

笑いはまさしくすべての分離派的傾向を抑制することを役目としている。

「笑い」はたしかに相手の欠点から生まれる。ベルクソンは「笑い」とは本質的に人を傷つけるものだと言う。しかしベルクソンはそれでもなお、いやそれ以上に「笑い」の武装解除・対立抑制の力に目を向ける。

先ほど「冷却」という言葉を使ったが、日本語には「冷や水を浴びせる」という言葉がある。何かにムキになっている人に対して「冷や水を浴びせる」と、ムキになって怒っていた人は一瞬「冷却」される。もちろん、そこに敬意がなければ、冷や水を浴びせられた相手はさらに怒り出すだろう。「冷や水」だと思っていたものは「油」だったということにもなってしまうのだ。しかし、「笑い」には適切に「冷や水を浴びせる」効果がある。浴びせられた相手は、もう怒ることがばかばかしくなってしまう。そうしてあらゆる紛争の種を無化してしまうということを言いたいのだろう。

ベルクソンはこのようにも語る。

精神状態の中には、とりわけ人間がその同胞と接触して生まれるものがある。それは

最も強度なまた最も激烈な感情である。〔中略〕もし人間がその感性的自然の衝動のままに任せていたとしたなら、もし何らかの社会的法則も道徳的法則も存していなかったとしたなら、これらの激しい感情の爆発は日常茶飯のこととなるであろう。けれどもこの爆発が回避されるということは有益である。

感情のままに任せていたら、人間社会は絶えまない紛争の中に置かれてしまう。「笑い」はその無感情ゆえに、このような危険を未然に回避することができるのだと言う。これは、『鼻行類』のところでゲーステが述べた「笑い」の寛容を生み出す力に通ずる。出発点は違っても、「笑い」の研究者は同じところに辿り着くのかもしれない。*7

---

*7　ベルクソンの言う「おかしみ」は、明らかにモリエール喜劇に源泉がある。このことを受けて、「ベルクソン以後―改版へのあとがき―」で訳者は、木下杢太郎氏の「わたくし〔訳者：引用者註〕の翻訳になるファーブル『昆虫記』は「汽車」の旅の最もよき伴侶であるが、この『笑い』の方はどっこい、そうはゆかない、あまりにむずかしくてつい参ってしまう、それは特に「その引用して思索の材料にした古典文学」について自分は全くの無知だからだ」との言を挙げ、「ベルクソンの『笑い』を読むには、モリエール、それにできることならラビーシュの芝居に通暁していなければならぬ」と言ったという。

筆者は木下氏や訳者ほどの高名で博識な学者をもってしても「あまりに難しくてつい参ってしまう」などというものだからどんなものかと身構えたが、モリエールどころかベルクソンと同時代のフランス喜劇を一ミリも知らない筆者にも、ベルクソンの『笑い』はスラスラと臓腑に沁みて諒解できた。『笑い』で挙げられている元ネタにはもちろん通暁していな

ベンヤミンの「勉学的遊戯」とアガンベンの継承

これまでいろいろな話をしてきたので、読者の皆様には筆者が一体何屋さんなのかがよくわからなくなっているかもしれないが、一応専門は日本近現代政治史である。それゆえに人並みに政治学の諸著にも触れることはある。もともと文学部育ちなので、しっかりと体系的に学んだとは言えず無手勝流だが、政治哲学に関する諸著とは常に自身の研究を見つめ直すために格闘している。

その中で、筆者が特に気になって仕方がないのが、イタリアの政治哲学者ジョルジョ・アガンベンの「例外状態」に関する議論である。「例外状態」とは、日本でよくなじみのある言い方だと「緊急事態」とか「非常事態」、戦前だと「戒厳状態」のような、法が部分的ないしは全面的に一時停止した状態のことを指す。しかし、アガンベンは二〇世紀以降現在まで、世界中でこの「例外状態」が恒常化する事態が発生しているのではないかと見る。

いが、そのネタのエッセンスのあるものはサブカルチャーや現代日本のお笑いの中に見いだされるものだったからである。ベルクソンの「笑い」は、時の試練を経ても洋の東西を超えても通用し、基本的なところは形を変えながら脈々と継承されていることが確認できた。要するに、この先生方はモリエールやフランス喜劇に通暁していなかったのではなく、「喜劇」一般に通暁していなかっただけなのではないか。まあこれは、筆者のベルクソン理解が正しくなければ成り立たない話だが。

そして、この状態とはどう理解すればよいのか、「公法と政治的事実のあいだ、法秩序と生とのあいだに横たわる『無主の地』の探索」に向かい考えようとする。

アガンベンの議論に触れると、戦後歴史学からこのかたの日本史学を支配してきた考え方がいかに不十分であったかを痛感させられた。日本史学が経験的に何十年もかかって辿り着いたところに、アガンベンは「例外状態」の検討という角度からひとっ跳びで到達した。その意味でたいへん興奮して読んでいたのだが、その中でたいへん気になる箇所があった。自身の専門と関わりがありそうな箇所ではなかったのだが、どうしても気になって仕方がなかったのは、アガンベンが哲学者ベンヤミンのフランツ・カフカ論を評して論じた部分である。

問題となるカフカの著作は、「新しい弁護士」である。もともとひじょうに短い作品だが、これを忙しい現代人のためにさらに圧縮してラノベのタイトル風にすると、「古代マケドニアのアレクサンドロス大王の馬が二〇世紀プラハの弁護士に転生した件」といった具合であろうか。

アガンベンはこの話の主人公である弁護士を、「もはや実地には用いられず、もっぱら勉学されるだけの法」の勉学に没頭して、法を不活発化し無活動の状態に追いやってしまおうとするものと形容する。ベンヤミンはその「勉学的遊戯」の生き方に共感を寄せた。アガンベンはここに、ベンヤミンが「暴力批判論」において指摘した法措定的暴力ならびに法維持的暴力の仮面剝奪の可能性を見ていると考えた。

法措定的暴力や法維持的暴力とは何であるかいう話はまたややこしくなってくるが、すごくすごく単純化して言うと、「法措定的暴力」とは「勝ったもんが正しいんやでぇ、勝ったもんが法律なんやでぇ、せやから勝ったもんが戦争でやったことは正義なんやでぇ」という風に理解しておいてほしい。「法維持的暴力」はこれに対し、勝って権力になった側がその権力を守るために法を作って、それを維持させるための暴力は許されるということであって、最もわかりやすい例が警察である。しかしこれらはいずれも暴力であることには違いなく、負けた方の暴力となんら変わらない。その欺瞞を捉えて、「仮面」と言っている。

この「仮面」は、日常のほほんと暮らしているとほとんど気づくことはないが、時折ひょいと顔を出し、それによって抑圧される人たち、抑圧感を抱く人たちも生まれる。ベンヤミンが考えてきたことは、これまたすごくすごく単純化して言うと、「そういうの、しんどいよねえ」ということである。そういう状態で「しんどい」人たちがしんどくならないためにどうしたらいいかねということである。しかしこれにベンヤミンは明白な答えを示していない。

アガンベンは、その答えが「暴力批判論」の中ではなく、カフカ論の中に見出されると考えたのである。つまり、どういうわけかわからないが「暴力批判論」ではっきり言えなかったことを、カフカ論を借りてこっそり言っているのだということである。そしてそれが、「勉学的遊戯」の可能性だったのではないかということである。

どういうことか。アガンベンは「例外状態」を考えてきたのであった。「例外状態」は、法が部分的ないしは全面的に一時停止した状態である。しかし、そこで法は完全に無効化していない。「法、いますよ〜」という状態でバックグラウンドで息をしているのである。法は停止しているのに、いるという変な状態なのである。それだからこそ、権力側はそこで何をやっても究極的には違法ではないということになる。

そういう状態でも、まあ大半の人はどうにかこうにか日常を生きていく。人間とはたくましいものである。しかし、時々「しんどい」人が出てくる。本当はだれしも「しんどい」側になりうる世界なのに、自分の側に火の粉が降りかかってこない限りそれを見ないようにしているだけなのだ。そういう状況を、「さあどうしていこうかねえ」というときにアガンベンが見出したのが、ベンヤミンが共感した「もはや実地には用いられず、もっぱら勉学されるだけの法」の勉学に没頭して、法を不活発化し無活動の状態に追いやってしまおうとするカフカの小説「新しい弁護士」の主人公であった。「そうか、ベンヤミンさんは、この弁護士の生き方に、「例外状態」のしんどさをどうにかする何かを見出したんじゃないのか！」という発見である。その弁護士の生き方を、「勉学的遊戯」と呼んだのである。

アガンベンは言う。


各人がそれぞれの戦略にしたがって、それを「勉学」し、不活発化し、それでもって「戯れ」（たわむれ）ようとしているのである。

いつの日か、人類は法でもって戯れるときがくるだろう。それはちょうど子供たちががらくたを使って遊ぶのに似ている。それも、それらをそれぞれの規範的な使い方に戻すためではなく、そうした使い方から最終的に解放するためにである。法のあとに見いだされるものは、法に先立って存在していた、より固有で本源的な使用価値ではなくて、法のあとにのみ生まれる新しい使い方である。法によって汚染されてしまっている使い方も、自らの固有の価値から解放されなければならない。この解放を達成するのは、勉学の、あるいは遊戯の任務である。そしてこの勉学的遊戯こそは、ベンヤミンの歿後（ぼつご）に刊行された断章のひとつで、世界が絶対的に所有不可能で法制化不可能な善として現れる、そういう世界の状態として定義されている、例の正義に接近することを可能にする突破口なのだ。

さて、ここまで一体何の話をしてきたのか、「笑い」はどこに行ったのだとお怒りの向きもあろうが、いったん落ち着いてほしい。ここで繰り広げられている議論はあくまで政治に関する話である。しかし、政治とは国と国だけではなく、もっとミクロの領域にも存在する。人と人、集団と集団の間でもひとしく政治が発生する。アカデミズム史学の内部でもである。

カフカの弁護士が法律を勉強するさまは、さながら法律をいじくりまわして遊んでいるかのようであった。歴史学者もまた、もはや実社会では役に立ちそうもない過去の文書をいじくりまわして遊んでいるようなものである。しかし学者は、それを「遊んでいる」などゆめゆめ口にすまいと思っている。そのようなことを言うと、彼を養っているパトロンに対して不謹慎で、申し開きができないと思うからである。

しかし、「遊ぶ」ように勉学することでしか突破できない問題があるとしたら？　それでもまだ「遊び」は不謹慎だと言うだろうか？

「遊ぶ」ように勉学することで、学問の「権威」は不活発化し、無活動状態に追いやられる。しかし、そのことにより学問の硬直性やそれにより生じる様々な亀裂もまたきれいに更地になってしまう。ベンヤミンの「勉学的遊戯」の可能性にかけた期待が、そしてアガンベンがそこに見出した期待が、そして更に訳者がそこに見た「メシア到来ののちに到来すると予想される「来たるべき共同体」のイメージ」が正しければ、歴史学研究に「遊び」を、すなわちここで言う「笑い」を導入することはたいへん有意義な実験なのではないかと筆者には思われた。

この「勉学的遊戯」の可能性は、ベルクソンが『笑い』において指摘した武装解除の力に、そしてゲーステが『鼻行類』について語った寛容につながる力によって一部は実験済である。そしてその実験は、既にイグ・ノーベル賞が世界で、そしてサンキュータツオ氏が日本において取り組んでいることでもある。ただ日本の歴史学においてのみ、ないのである。

いお倉の挑戦は、ここでアガンベンがベンヤミンを受けて言う「勉学的遊戯」の歴史学におけるわれわれなりの実践である。「勉学」を「遊戯」することによって、既存の歴史学界という、所々に様々なひずみを生じながらも依然として強い効力を保っている「権威」を一部無力化する。それによって、アカデミズム史学も、その「権威」によって金縛りにあっている研究者たちも、その「権威」に反発するアマチュア歴史家や「歴史好き」たちも、その「権威」が「死に体」であるという側面しか見えずに無用と批判する世間も、それら全てを包み込む世界を、いったん無化して新しい世界（＝正義）を創造したい。

もう「怒りエネルギー」に支配される世界の中で「笑い」を求めることを不謹慎に思う必要はないだろう。あとは、やってみるだけだ。

真の「学術コミュニケーション」とは

さて、ここまで「笑い」と歴史学、そして「歴史」をめぐる様々な問題を考えてきた。長旅、お疲れ様である。筆者への義理で読んでくださっているかもしれないアカデミズム史学側にいる方には、本書の噛んで含めるような物言いに、「えっまさか、そこから？　そんなところから？」とびっくりされたかもしれない。しかし、まさに問題はそこなのである。本書が狙ったのは、そういうことなのである。何がわかって、何がわかっていなくて、どこから説明が必要なのか、そうしたことから、アカデミズム史学の方には一つ一つ知っていただきたかったのである。

これは、筆者が生まれながらにして多少わかる立場にいたこともさることながら、これまでに出会ってきた多くの方のおかげでわかるようになったことでもある。その意味で、このような気づきを与えてくれた全ての方にお礼を申し上げたい。われわれアカデミズム史学の人間は、普段当たり前のように使っているわれわれの「言葉」から、振り返ってみなければいけないと思うのだ。

この本を読んでこられた方ならば、学術コミュニケーションとは、学問の成果をわかりやすく伝えることだけでは十分でないことをご理解いただけたことだろう。これまで、歴史学は比較的学術コミュニケーションがなされてきたと思われてきた。しかし、学術の成果が生み出される場であるアカデミズム史学の実態を伝える努力や、その受け手である歴史好き、そしてアマチュア歴史家の人たちの実態や思いを正しく理解する努力を怠ったまま、「簡単に理解できそうな知見」だけを伝えるならばそれがどのように受け手に伝わるか、という効果面にあまりに無理解であったように思われる。歴史学という分野が親しみやすいと感じられるようになることはよい。しかし、ハードルが低く誰でも参入できる学問であると軽視されたことが、アカデミズム史学とアマチュア歴史家の分断を招いた大きな原因であったように思われる。

その意味で、この本は二重の学術コミュニケーションを狙った本となっている。表面的には、アマチュア歴史家の方にアカデミズム史学のことを知ってもらうという建付けにしながら、同時にアカデミズム史学の人びとにはクリアな鏡のように見える仕掛けになっている。

この本の中で筆者が様々なタイプのアマチュア歴史家を勧めているように思われた方もいらっしゃるだろう。中には、アカデミズム史学の側にいて、アカデミズム史学と敵対的になるような「邪道」を勧めるのはけしからん、とご立腹された方もいるかもしれない。しかし、この本を隅から隅までよく読んでいただければ、この本が結局のところ「学問に王道なし」という平凡なメッセージに戻ってきたにすぎないことをご諒解いただけることだろう。

「笑い」の実践的歴史家として

この本の中では、随所に筆者の思い出話を盛り込んできた。アイデアは、なるべくそれを着想するに至った具体的な経緯とともに伝えなければ十分伝わらないと考えたためである。振り返ってみると、筆者はこの本のテーマとは裏腹に、いつも不安や焦りや苦難の中にあり、そこから逃れるためにギラギラ、ガツガツ、必死になっていたということにお気づきいただけるであろう。

しかし、一方でいつもどこか突き放したような、冷めた目でそれを見つめるもう一人の

筆者がいて、そしてその中でいつも誰かを「笑わせる」ことを生きがいにしていたことも
またお気づきいただけたのではないだろうか。筆者はいつも、苦難の中で涙を流しながら
「笑い」を求め、誰かを笑わせるために血みどろになって戦っていた。熱くなって戦い今に
も臨界点に達しそうになる筆者を常に冷却し続けてくれていたのが「無感情」の筆者であ
り、この「無感情」の筆者が常に「笑い」を探し求めるようけしかけていたからこそ、こ
れまでまがりなりにも生きてこられたように思う。

第三部で、古今東西の様々な「笑い」の理論を検討する中で、「無感情の文学」という話
をしてきた。それは様々な学問に親和性を持ち、実際に幾例かの実践もあるが、ひとり歴
史学においてのみないという話もした。では、なぜ歴史学においては「無感情の文学」の
実践がなかったのだろうか。

それは、ひとえに歴史学が「感情の文学」として受容されてきたからであろうと思われ
る。歴史学はもともと過去を叙述するというそのスタイルから「文学」の要素を持ってい
ると第一部で述べた。この「文学」とは、起承転結があり、盛り上がりや見せ場もある物
語である。一方で、純粋に学問的な「歴史学」の世界もあり、その両者の特徴が一般の歴
史ファンにはわかりにくい。アカデミズム史学の中の人でさえ、その両者を区別せずに考

えてしまうところがあった。要するに、歴史学においてはこの物語としての「文学」の力が強すぎて、「無感情の文学」の入り込む余地がなかったのである。ないならやってみたくなるのが研究者の性である。

さいごに、「歴史好き」の皆さんへ

筆者が「笑い」を歴史学に投じてみようと考えた経緯を辿ってきた今、いお倉の目指すところも、筆者がいお倉を起ち上げた意図についてもより深くご理解いただけたのではないかと思う。WEBサイトでもこの点がなるべく多くの方に伝わるように意識してはいたのだが、やはり初動の新聞報道から様々に間違って伝わってしまったことが大きな誤算であった。

それでも、アマチュア歴史家の一部や一般の「歴史好き」の人びとがいお倉を誤解されたことについて非難する気持ちにはなれない。それは筆者も来た道だからである。筆者にも、いや今大学で歴史学を研究している人の多くも、純粋に過去の出来事に興味を持って、次から次へと新しいことを知る喜びを感じて毎日キラキラ輝いていた日々があったはずである。もちろん、その時はまだくずし字も読めないし、刊本の史料すら十分には読めなかったかもしれない。新書一冊を読むのにも苦労していたかもしれない。しかし、何か一冊でも歴史の本を読みあげたら、まるで自分が新しく生まれ変わったように感じられた。自分にもこんなことができるかもしれないと思えた。あの頃のような純粋な気持ちは、間違いなく歴史学に進む原動力になったと思う。

筆者は今、大学で明治期の政治史を研究している立場である。しかし専門とは別に、趣味として新たに興味を持ち始めたこともある。自らの専門に全く還元できそうにもないテーマであり、純粋に趣味として楽しんでいる。最初は娯楽作品から入り、そのテーマにまつわる映像作品もたしなみ、動画なども毎日のように観ている。その中で、そのテーマについて専門的に研究している人たちの存在も目に入るようになり、彼らの研究成果にも興味がわくようになった。筆者は今、それについてほとんど知らない人たちに比べれば、多少は話題が出せる程度にはそれについて知っている。知り始めたら嬉しくなって、ついつい家族や友人に自分が知ったばかりのことを伝えたくなった。

この瞬間、ふといお倉にお手紙や論文を送ってくださった方々のことが頭をよぎった。皆さん、歴史を知ったばかりで、こんなふうに毎日が楽しかったのかもしれない。そんなときにいお倉に出合って、期待に胸を膨らませてくれたのかもしれない。それがいお倉の目指していたものと違っていたために、お互いにとってあまり好ましくない結果となってしまった。そのことが、ずっと心残りであった。

主にこの本の第三部で述べてきたように、いお倉はこの国で研究する歴史学の研究者に向けて起ち上げたものであった。一つは学内外の空気間の違いに苦しむ、この国の大学の大部分を占める中小私大の教員の方に、筆者が経験した「笑い」の力を経験してもらいたいと思ったからであり、もう一つは、この国の頂点に立ってサイヤ人の戦いを繰り広げておられる研究者の方々に投げかけてみたらどんなことが起こるか見てみたかったからでもあった。

けれどもその過程や結果は、なるべく広く大学の外の人たちにも見てもらいたかった。そして何事かを感じてもらえたなら、それがまた新たな仕事につながるのではという期待もあった。筆者も含めたいお倉の発起人は、いお倉をアカデミズムの世界に閉じ込めておくつもりは全くない。しかし、その成果はあくまでアカデミズムの世界で価値を持たなければいけないとも考えている。このことだけは、絶対に妥協ができない。

そこで、筆者たちが何と戦っているのかということを、まずはアマチュア歴史家や多くの「歴史好き」の人たちに、WEBサイトやXとは別に丁寧に説明する場が必要だと考え、この本を作った。だから、一度はいお倉に失望した人にも届くように願って、なるべく多くの人の目に触れる新書という形式を選んだ。

この本を読み終えた貴方は、いお倉だけではなく、アカデミズム史学の生み出す様々な成果物——論文や学術書など——や、アカデミズム史学とアマチュア歴史家、一般の「歴史好き」との間で生み出される様々な成果物——TV番組や一般向け書籍など——を読み解く解像度が少し上がったことをきっと実感されるはずである。そう実感できたときに、自分はどんな立ち位置で歴史と関わろうか、というイメージもよりはっきりと見えてくるだろう。

あとがき

この本の構想の大部分は、折に触れ述べてきたように、筆者が大手前大学に勤務していた時期に経験し、考えたことに基づく。特に、同学の学生とのやり取りからは、たいへん多くのことを考えさせられた。その意味で、この本は彼らの存在がなければ成り立ちえなかった。

「はじめに」と「第三部」で用いた軍艦のメタファーは、筆者が大手前大学で初めて受け持つことになったゼミ生の一人から借用したものである。彼はいわゆる軍オタで、古今東西の海軍について該博な知識を持っていた。彼が卒業すると同時に、筆者は現在の職場である京都府立大学に移ることとなったのだが、ある日、彼が卒業して初めて現職場に遊びに来てくれたことがあった。お昼ご飯をご馳走し、大学の中を案内しながらいろいろ話していた中で、彼がボソッと放った一言から始まる一連の会話である。

軍オタ「なんか、『大学』来たなって感じですね」
筆　者「じゃあ今までのは何だったんだ」
軍オタ「なんか……駆逐艦造って喜んでたら巡洋艦出てきたなって感じですわ」
筆　者「おい、そこはお世辞でもせめて戦艦とか空母って言えよ！」
軍オタ「いや、でも、明治時代には巡洋艦は主力艦でしたから（ニチャア）」

このたとえが絶妙で、今でも現任校を自嘲的に表現する際に多用させていただいている。彼にはどのようにお礼をしてもし尽せないくらいなのだが、せめてこの本を贈ることでお返ししたいと思っている。

また、折に触れて述べてきたように、筆者が四人の顧問の先生と起ち上げた雑誌「いお倉」こと『Historia Iocularis』に寄せられたアマチュア歴史家や「歴史好き」の方々からのご質問、ご投稿に対するやり取りと、それを受けて筆者が考えたことが、この本を書き上げる直接の動機となった。新聞を見て、「誰でも投稿できる雑誌」と期待に胸を膨らませてご質問、ご投稿いただいた皆様の多くにとっては、ご期待に添える結果をお伝えすることができなかったことをたいへん申し訳なく思っている。この本は、皆様に対するせめてものお詫びのしるしでもある。

星海社の片倉直弥氏は、若き有望な編集者である。いお倉が新聞記事になってすぐにご連絡をいただいたが、最初は随分と押し問答をした。片倉氏はいお倉の原稿種別の一つである「『笑えて考えさせられる歴史学論文』紹介」に目をつけて、「これやりましょう！　これ本にしましょう！」と前のめりであった。筆者は「いやそれサンキュータツオ氏の『ヘンな論文』シリーズの二番煎じですから！　芸人のサンキュー氏がやったことをただの素人の私がやるとか、そんな劣化コピーどう考えても笑えないですから！」というようなやり取りを何度も繰り返した。「何度も」という辺りがミソである。コミュニケーションの難しさはここでも実感した。

しかし、伝わらなければ、伝わるまでやり直せばよいのである。片倉氏は、筆者のくどい話を最後まで聴いてくれる忍耐力があった。筆者が軌道修正した結果、この本は当初、第一部にあたる部分を中心として構成される「学術コミュニケーション本」になるはずであった。

しかし、筆者も変わっていった。時間をおいて考えてみると、「笑い」にもっとフォーカスしてもよいかもしれない、と思うようになっていった。そもそも片倉氏と筆者をつないでくれたのはいお倉なのだから、もっといお倉の話はしてもよいし、「笑い」のために悪戦苦闘したわれわれの歩みにつなげる形で書いた方がよいのでは？　と思うようになっていた。結局片倉氏の直観は正しかったのである。さすがは敏腕編集、先見の明があった。

これが、コミュニケーションの妙味である。初動ですれ違っても、何度も何度も伝える努力をすればよい。それでだめでも、時間をおいてみると自分の考えが変わることもある。相手の言いたかったことがわかってくることもある。そうやって、傷つきながらでも少しずつ前に進めばよい。アカデミズム史学とアマチュア歴史家や「歴史好き」の皆様との関係も、そんなふうになっていけばよいと強く願う。

最後に、本書を楽しみに待っていてくれた夫・耕平と、いつも筆者のくだらない話につきあってくれ、独特の感性でコメントをくれる大好きな先輩兼友人の佐藤早紀子に、心からの感謝を込めてこの本を捧げたい。

二〇二四年六月一日　池田さなえ

参考文献

本文中で触れた、あるいは本書を執筆するにあたって特に参考にした文献の詳細な書誌情報を一覧化したものである。より詳しく知りたい方はぜひ参考にしてほしい。理論書、歴史学の実証的研究、創作作品を問わずちゃんぽんにしており、国内外の著作の別、著者名（日本語）の五十音順にしたがって配列していることをご了承いただきたい。

●イヴァン・ジャブロンカ著、田所光男訳『私にはいなかった祖父母の歴史——ある調査』名古屋大学出版会、二〇一七年
●イヴァン・ジャブロンカ著、真野倫平訳『歴史は現代文学である　社会科学のためのマニフェスト』名古屋大学出版会、二〇一八年
●イヴァン・ジャブロンカ著、真野倫平訳『歴史家と少女殺人事件——レティシアの物語』名古屋大学出版会、二〇二〇年
●ヴァルター・ベンヤミン著、野村修編訳『暴力批判論他十編』岩波書店、一九九七年（初版は一九九四年）
●ヴァルター・ベンヤミン著、浅井健二郎編訳、三宅晶子・久保哲司・内村博信・西村龍一訳『ベンヤミン・コレクション2　エッセイの思想』筑摩書房、二〇二一年（初版は一九九六年）
●エンツォ・トラヴェルソ著、宇京賴三訳『一人称の過去　歴史記述における〈私〉』未來社、二〇二二年（原著は二〇二〇年）
●オルテガ・イ・ガセット著、佐々木孝訳『大衆の反逆』岩波書店、二〇二〇年（初版は二〇二〇年、原著は一九三〇年）
●カール・D・S・ゲーステ著、今泉みね子訳『シュテュンプケ氏の鼻行類』博品社、一九九六年
●ジョルジョ・アガンベン著、上村忠男・中村勝己訳『例外状態』未來社、二〇二〇年（初版は二〇〇七年、原著は二〇〇三年）
●ハラルト・シュテュンプケ著、日高敏隆・羽田節子訳『鼻行類』平凡社、一九九九年（原著は一九五七年）

●ベルクソン著、林達夫訳『笑い』岩波書店、二〇一三年（初版は一九三八年、原著は一九〇〇年）
●諫山創『進撃の巨人』二七巻、講談社、二〇一八年
●倉敷伸子「共同的記憶がつくる「民主主義」――高度成長後のムラを生きる」大門正克・長谷川貴彦編著『「生きること」の問い方―歴史の現場から』日本経済評論社、二〇二二年
●サンキュータツオ『ヘンな論文』角川学芸出版、二〇一五年
●サンキュータツオ『もっとヘンな論文』KADOKAWA、二〇一七年
●清水幾太郎『論文の書き方』岩波書店、一九五九年
●寺田寅彦『漱石先生』中央公論新社、二〇二一年（初版は二〇二〇年）
●成田龍一『近現代日本史と歴史学　書き替えられてきた過去』中央公論新社、二〇一三年（初版は二〇一二年）
●坂野潤治『明治憲法体制の確立―富国強兵と民力休養』東京大学出版会、一九七一年
●前田亮介『全国政治の始動――帝国議会開設後の明治国家』東京大学出版会、二〇一六年
●歴史科学協議会編『深化する歴史学――史資料からよみとく新たな歴史像』大月書店、二〇二四年
●小野塚知二「読者に届かない歴史――実証主義史学の陥穽と歴史の哲学的基礎」（恒木健太郎・左近幸村編『歴史学の縁取り方―フレームワークの史学史』東京大学出版会、二〇二〇年）
●池田さなえ『皇室財産の政治史――明治二〇年代の御料地「処分」と宮中・府中』人文書院、二〇一九年【池田二〇一九①】
●池田さなえ「愛され「やじ」の追悼文集」京都大学文学部読史会『国史研究室通信』五九、二〇一九年【池田二〇一九②】
●池田さなえ「明治期日本における政治家ネットワーク形成――品川弥二郎・京都尊攘堂人脈の分析から」『日本研究』六六、二〇二三年

星海社新書
306

笑いで歴史学を変える方法
歴史初心者からアカデミアまで

二〇二四年八月二六日　第一刷発行

アートディレクター　吉岡秀典（セプテンバーカウボーイ）
デザイナー　鯉沼恵一（ピュープ）
フォントディレクター　紺野慎一
校閲　鷗来堂

著者　池田さなえ

発行者　太田克史
編集担当　片倉直弥

発行所　株式会社星海社
〒一一二-〇〇一三
東京都文京区音羽一-一七-一四　音羽YKビル四階
電話　〇三-六九〇二-一七三〇
FAX　〇三-六九〇二-一七三一
https://www.seikaisha.co.jp

発売元　株式会社講談社
〒一一二-八〇〇一
東京都文京区音羽二-一二-二一
（販売）〇三-五三九五-五八一七
（業務）〇三-五三九五-三六一五

印刷所　TOPPAN株式会社
製本所　株式会社国宝社

ISBN978-4-06-536721-6
Printed in Japan

306
SEIKAISHA SHINSHO

210

皇室と学問

昭和天皇の粘菌学から秋篠宮の鳥学まで

小田部雄次

皇室の私的な学問研究から見えてくる、もう一つの日本近代史！

皇族は多忙な公務の傍らで学問研究に励んできた。例えば粘菌学者の昭和天皇と魚類学者の明仁上皇は、親子二代で世界的博物学会・リンネ協会の会員に名を連ね、山階宮家の山階芳麿が作った山階鳥類研究所は鳥学の権威として約一世紀の歴史を持つ。しかし私的な行為である皇族の研究は、実際には公的な行為と密接に関わっている。平成の天皇が魚類学の知識を活かし、食糧事情改善のためブルーギルを日本に持ち帰ったことはその好例だ。なぜ皇族たちはかくも学問に尽力するのか、その理由は戦後の特異な皇室制度と不可分だ。皇族の学問研究を紐解くことは、戦後日本の栄華と矛盾を直視することに他ならない。

皇室と学問
昭和天皇の粘菌学から秋篠宮の鳥学まで
小田部雄次

皇室の学問研究が顕す、もう一つの日本近代史！

昭和天皇が、当時まったく無名、無位無冠だった**南方熊楠**に会いに、遠路、軍艦で紀州に出かけたことから、**何かが始まった**
荒俣宏（博物学者）

学問でしか**自己実現**できない？
皇族の"**私的関心**"が明らかに！
辻田真佐憲（近現代史研究者）

244

旅行の世界史
人類はどのように旅をしてきたのか

森貴史

古代から現代まで、人類は「旅」とともに世界を作ってきた!

人類は、旅によって未知の世界に触れることで発展してきた。はるか昔、アレクサンドロス大王の東方遠征は古代秩序を一変させ、大航海時代の冒険者たちは新大陸を発見して大陸間交易のパイオニアとなった。個人レベルでも聖地巡礼や遍歴修行、さらに近世の修学旅行というべきグランドツアーは旅行者の感受性や人格を豊かにしてきたことだろう。そして鉄道や自動車といった旅行のために用意されたテクノロジー、パックツアーやガイドブックといった旅行から派生したビジネスモデルも世界の風景を大きく変えてきた。本書は、紀元前から現代に至る旅行像の変遷を明らかにする。

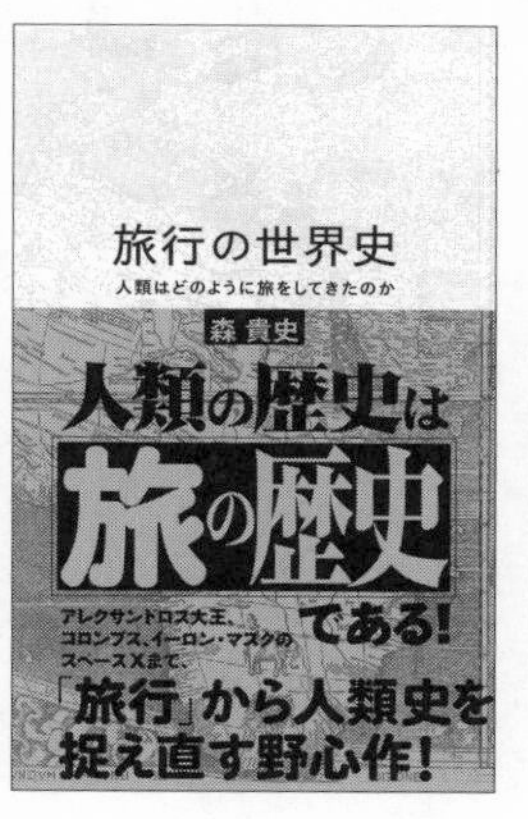

265

天皇家の帝王学

小田部雄次

日本の歴史を作ってきた「帝王学」の内実に迫る！

古くから日本に続く天皇家の統治の術、それが帝王学である。古くは軍事的才能、中世においては学芸や儒学への関心、近代においては儒学と洋学の素養など、そのあり方は時代とともに変化してきたが、天皇家が連綿と続く傍らには常に帝王学が、そしてそれを涵養する教育システムが存在した。歴史をひもとく中で分かるのは、帝王学が世相や権力のあり方をよく反映した写し鏡であることだ——武家政権の時代には平和的に宮廷文化を継承し、戦前には立憲君主としての統治能力として発揮されてきたように。逆に言えば現在の天皇家の帝王学からは、現在の、そして未来の日本の姿がよく見えてくるのである。

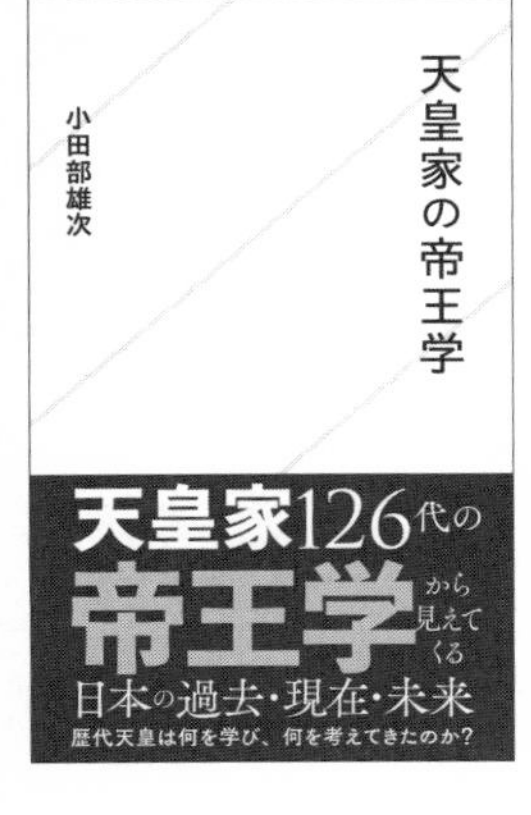

270

東大の良問10に学ぶ世界史の思考法

相生昌悟　監修 西岡壱誠

東大式「世界史の思考法」を総ざらい＆東大世界史問題でより深める！

東大世界史は「世界史の思考法」を学ぶのに最適の教材です。東大はこれまで入試問題を通じて、枝葉末節の暗記にとらわれない世界史の大きな流れを理解する重要性を世に問うてきました。本書では、そんな東大世界史を徹底的に研究した東大生が選りすぐった10問をもとに、古代から現代までの世界史の流れを見ていきます。各章前半の講義編では、予備知識のない方でも東大の議論がわかるように前提となる世界史知識をまとめ、各章後半の演習編では、東大世界史名物「大論述」を実際に解いて、東大が問いかける問題意識や世界史の重要ポイントを詳細に解説しました。この1冊で東大レベルの世界史の思考法をマスターしましょう！

東大の良問10に学ぶ世界史の思考法

相生昌悟　監修 西岡壱誠

東大ならではの視点で語られる「歴史の流れ」とは!?

東大模試全国1位の東大生が徹底解説！

次世代による次世代のための

武器としての教養
星海社新書

星海社新書は、困難な時代にあっても前向きに自分の人生を切り開いていこうとする次世代の人間に向けて、ここに創刊いたします。本の力を思いきり信じて、みなさんと一緒に新しい時代の新しい価値観を創っていきたい。若い力で、世界を変えていきたいのです。

本には、その力があります。読者であるあなたが、そこから何かを読み取り、それを自らの血肉にすることができれば、一冊の本の存在によって、あなたの人生は一瞬にして変わってしまうでしょう。思考が変われば行動が変わり、行動が変われば生き方が変わります。著者をはじめ、本作りに関わる多くの人の想いがそのまま形となった、文化的遺伝子としての本には、大げさではなく、それだけの力が宿っていると思うのです。

沈下していく地盤の上で、他のみんなと一緒に身動きが取れないまま、大きな穴へと落ちていくのか？　それとも、重力に逆らって立ち上がり、前を向いて最前線で戦っていくことを選ぶのか？

星海社新書の目的は、戦うことを選んだ次世代の仲間たちに「武器としての教養」をくばることです。知的好奇心を満たすだけでなく、自らの力で未来を切り開いていくための〝武器〟としても使える知のかたちを、シリーズとしてまとめていきたいと思います。

2011年9月

星海社新書初代編集長　柿内芳文